Bianca

10669797

UNA TENTADORA OPORTUNIDAD

MELANIE MILBURNE

Editado por Harlequin Ibérica.
Una división de HarperCollins Ibérica, S.A.
Núñez de Balboa, 56
28001 Madrid

© 2017 Melanie Milburne
© 2017 Harlequin Ibérica, una división de HarperCollins Ibérica, S.A.
Una tentadora oportunidad, n.º 2562 - 9.8.17
Título original: The Temporary Mrs. Marchetti
Publicada originalmente por Mills & Boon®, Ltd., Londres.

Todos los derechos están reservados incluidos los de reproducción, total o parcial. Esta edición ha sido publicada con autorización de Harlequin Books S.A.
Esta es una obra de ficción. Nombres, caracteres, lugares, y situaciones son producto de la imaginación del autor o son utilizados ficticiamente, y cualquier parecido con personas, vivas o muertas, establecimientos de negocios (comerciales), hechos o situaciones son pura coincidencia.
® Harlequin, Bianca y logotipo Harlequin son marcas registradas por Harlequin Enterprises Limited.
® y ™ son marcas registradas por Harlequin Enterprises Limited y sus filiales, utilizadas con licencia. Las marcas que lleven ® están registradas en la Oficina Española de Patentes y Marcas y en otros países.
Imagen de cubierta utilizada con permiso de Harlequin Enterprises Limited. Todos los derechos están reservados.

I.S.B.N.: 978-84-687-9957-5
Depósito legal: M-15498-2017
Impresión en CPI (Barcelona)
Fecha impresion para Argentina: 5.2.18
Distribuidor exclusivo para España: LOGISTA
Distribuidores para México: CODIPLYRSA y Despacho Flores
Distribuidores para Argentina: Interior, DGP, S.A. Alvarado 2118.
Cap. Fed./Buenos Aires y Gran Buenos Aires, VACCARO HNOS.

Capítulo 1

LO PRIMERO que Alice notó al entrar en el despacho fue una carta de aspecto oficial sobre el escritorio. Las cartas de abogados siempre la inquietaban. Y aquella, tal y como comprobó al leer el remitente, procedía de un bufete italiano.

Cuando vio que estaba sellada en Milán, se quedó paralizada.

Cristiano Marchetti vivía en Milán.

Le temblaron las manos. No era posible que hubiera muerto. No podía ser.

Lo habrían anunciado en la prensa. Después de todo, registraban cada uno de sus movimientos. Las bellas mujeres con las que salía; los hoteles que restauraba y convertía en alojamientos de lujo, los actos de beneficencia a los que acudía, las fiestas... No podía parpadear sin que lo contara algún periodista.

Alice abrió el sobre y echó un vistazo a la nota que contenía sin comprender nada de lo que leía. Tal vez porque su mente estaba poblada de recuerdos que había mantenido enterrados los últimos siete años, entre otras cosas, porque se negaba a arrepentirse de sus decisiones. Le temblaban tanto las piernas que, sosteniendo el papel ante su borrosa mirada, tuvo que sentarse.

No... no era Cristiano quien había muerto, sino su

abuela, Volante Marchetti, la mujer que, junto a su abuelo Enzo, lo había criado tras el fallecimiento de sus padres y de su hermano mayor en un accidente de tráfico.

Alice miró con el ceño fruncido el documento que acompañaba a la nota y en el que se la nombraba entre los beneficiarios del testamento de la anciana. ¿Qué le habría hecho incluirla cuando apenas se habían visto en un par de ocasiones? A Alice le había encantado Volante Marchetti, una mujer vivaracha, inteligente y con un magnífico sentido del humor, y se había acordado de ella a menudo. Quizá la abuela de Cristiano le había dejado un detalle, una joya o una de las acuarelas que Alice recordaba haber alabado en la vieja villa de Stresa. Continuó leyendo el farragoso documento con el pulso acelerado. ¿Por qué los abogados siempre escribían de una manera tan críptica?

–Tienes una visita, Alice –le anunció Meghan, la más joven de sus empleadas.

Alice miró su agenda en el ordenador y frunció el ceño.

–No tengo ninguna cita hasta las diez. Clara Overton canceló su tratamiento facial porque uno de sus hijos está enfermo.

–Es un hombre –dijo Meghan, bajando la voz.

Alice tenía varios hombres entre sus clientes, pero algo le dijo que no se trataba de ninguno de ellos. Podía percibirlo en su piel, en sus huesos; en la sensación de peligro inminente que le puso la carne de gallina. Hizo ademán de ponerse en pie, pero decidió permanecer sentada. No confiaba en que las piernas la sostuvieran si estaba a punto de verse cara a cara con Cristiano Marchetti después de tanto tiempo.

–Dile que espere diez minutos.

–Dímelo tú misma.

Alice miró hacia la puerta y descubrió a Cristiano, que clavaba sus ojos oscuros en ella. Verlo en persona fue muy distinto a verlo en fotografía. Mucho peor; prácticamente insoportable.

Por un instante se quedó muda. Su mera presencia, sus anchos hombros, unos abdominales sobre los que se podría bailar en zapatos de tacón sin que se inmutara y el cabello negro como el azabache, hicieron que el despacho se encogiera hasta resultar claustrofóbico.

–Hola, Cristiano, ¿qué te trae a Alicia en el Mágico Mundo de la Belleza? ¿Necesitas que te haga la cera? ¿Un cambio de imagen?

Alice sabía que era una locura provocarlo, pero el sarcasmo le servía de mecanismo de defensa. Prefería ser sarcástica a permitir que viera hasta qué punto la perturbaba. Porque la realidad era que sentía el suelo temblar bajo sus pies y el corazón le latía desbocado.

Cristiano la observaba como si buscara en su rostro algo que había perdido y que nunca hubiera confiado en volver a encontrar. Fruncía el ceño con un gesto intimidatorio que no se parecía en nada al que solía mostrar en el pasado, cuando la miraba con ternura y admiración. Con amor.

Un amor que ella había rechazado.

–¿La convenciste tú? –preguntó Cristiano.

Alice posó las manos sobre los muslos para que no viera cuánto le temblaban.

–Supongo que te refieres a tu abuela.

La amargura y la ira ensombrecieron la mirada de Cristiano. También otra emoción en la que Alice no quiso pensar, pero que elevó al instante la temperatura de su cuerpo y despertó en ella recuerdos aletargados. Recuerdos eróticos que le aceleraron la sangre en las venas.

–¿Has estado estos años en contacto con ella? –preguntó Cristiano.

–No –contestó Alice, mirándolo fijamente–. ¿No recuerdas que te rechacé?

Cristiano apretó los dientes.

–¿Y por qué te ha mencionado en el testamento?

Así que su abuela no le había hablado de lo que pensaba hacer. Interesante.

–No tengo ni idea –dijo Alice–. Solo la vi un par de veces cuando tú y yo... por aquel entonces. Desde entonces no he sabido nada de ella.

Cristiano indicó con la mirada el testamento.

–¿Lo has leído?

–Estaba en ello antes de que entraras sin llamar.

Cristiano le lanzó una mirada asesina.

–Permíteme que te lo resuma: puedes heredar la mitad de la villa de Stresa si accedes a ser mi esposa y vivir conmigo un mínimo de seis meses. Además, recibirás una suma en metálico al anuncio de nuestro compromiso, que debe tener lugar un mes justo antes de la boda.

Alice se quedó estupefacta. ¿Su... esposa?

Alargó las manos hacia el documento; el ruido de las páginas resonó en el silencio.

Sus ojos pasaron una y otra vez sobre las palabras y se le alteró la respiración como si tuviera un ataque de asma. El corazón le latía como si le hubieran dado un puñetazo en la espalda. En su primera ojeada no había visto ninguna mención al matrimonio, pero en aquel momento la encontró. Allí estaba, nítida, negro sobre blanco.

Heredaría la mitad de la villa de Volante Marchetti a orillas del lago Maggiore si y solo si se casaba y permanecía casada seis meses con Cristiano, además de un mes como máximo de compromiso. Dejó el testamento para que Cristiano no viera que le temblaban las manos. ¿Cómo iba a vivir con él seis meses si seis segundos en su presencia la alteraban de aquella manera?

Había ido a la villa de su abuela un fin de semana que nunca había olvidado porque fue la primera vez que él le había dicho que la amaba. Ella no había contestado, entre otras cosas porque no confiaba en sus propios sentimientos. Y porque Cristiano siempre había ido un paso por delante en la relación. Mientras que ella pensaba que disfrutaban de una relación pasajera durante sus vacaciones en Europa, él había decidido que se trataba de algo duradero, permanente. Tan permanente como para casarse y tener hijos.

Desde que tenía uso de razón, Alice había estado en contra del matrimonio, al menos para sí misma. Era la consecuencia de haber sido testigo de las tres ocasiones en las que su madre había pasado por el proceso de tristeza, sumisión, humillación y ruina económica. Precisamente porque Cristiano era la única persona a quien le había hablado de ello, le había irritado incluso más que le propusiera matrimonio, y peor aún, que lo hiciera en público.

Su arrogancia la había enfurecido. ¿Había asumido que porque era millonario y le había dicho que la quería ella caería rendida a sus pies? ¿Cuánto habría durado ese amor? ¿Cómo podía estar segura de que la pasión no se apagaría tan deprisa como había prendido?

Si la hubiera amado de verdad, Cristiano habría aceptado una situación intermedia. Mucha gente convivía sin necesidad de casarse. Un certificado de matrimonio no era imprescindible y solo servía para reducir a las mujeres a un papel secundario, y más aún si tenían hijos.

Pero en el fondo, Cristiano era muy tradicional y le había dado un ultimátum: o matrimonio o nada.

Alice entonces le había lanzado un órdago, dando por terminada la relación y volviéndose a Inglaterra. En parte, porque confiaba en que Cristiano fuera a buscarla, se disculpara y le propusiera «volver a intentarlo»; pero no lo hizo. Así que desde su punto de vista, en realidad no la había amado lo bastante como para luchar por ella e intentar alcanzar un acuerdo.

Tampoco ella lo había intentado.

Volvió la mirada a los brillantes ojos de Cristiano.

–No estarás pensando en... seguir adelante, ¿verdad?

Cristiano esbozó una cínica sonrisa.

–Claro que sí. ¿Cómo voy a incumplir la última voluntad de *nonna*?

–¿Y si yo no accedo?

Cristiano se encogió de hombros.

–En mi caso, solo pierdo unas cuantas acciones de la empresa, que pasarían a un familiar.

Alice se preguntó hasta qué punto era verdad que aquella pérdida le importaba tan poco. En cuanto a la villa de su abuela, en la que él había crecido, ¿era posible que quisiera compartirla con alguien, y más aún con ella? ¿Por qué iba a acceder a cumplir unas condiciones tan desconcertantes?

–¿Y por qué estás dispuesto a casarte con alguien que no quiere casarse contigo?

Cristiano la miró con una intensidad que dejó a Alice sin aliento.

–Lo sabes perfectamente.

Alice enarcó una ceja, esforzándose por ignorar el pulsante calor que sintió en el centro de su feminidad.

–¿Por venganza, Cristiano? Creía que eras un hombre civilizado.

–Estoy dispuesto a ser razonable.

Alice se rio con sarcasmo. Esa no era una palabra que pudiera asociarse con Cristiano. Él veía el mundo en blanco y negro.

–¿A qué te refieres?

Cristiano la miró con una expresión que ella no supo interpretar.

–El matrimonio no tiene que consumarse.

Alice rogó por que la sorpresa que sentía no se reflejara en su rostro. Sorpresa y dolor. Su relación había sido apasionada. Ella nunca había tenido ni antes ni después un amante que le hiciera sentir nada igual. Las caricias de Cristiano estaban marcadas en su cuerpo. Las manos de otros hombres le repugnaban. De hecho, la última vez que se había acostado con alguien, hacía más de un año, se había duchado durante una hora en cuanto llegó a casa.

–Hablas como si dieras por hecho que fuera a acceder –dijo–, pero te vuelvo a decir lo que te dije hace siete años: no voy a casarme contigo.

–Seis meses es poco tiempo, y al final serás dueña de una villa de lujo que puedes quedarte o vender. La decisión es tuya.

No había decisión posible. Se la obligaba a casarse

con un hombre que ya no la amaba y que solo quería dominarla. ¿Qué mejor castigo podía infligirle por haber tenido la desvergüenza de rechazarlo que encadenarla a él en una relación sin amor?

No. No lo haría. De ninguna manera. No se sometería a la humillación de ser una mujer florero mientras él se acostaba con quien le diera la gana. Él sabía cuánto había sufrido viendo cómo sus maridos engañaban a su madre. Una de las cosas que le habían gustado de Cristiano era que creía en la monogamia. O eso decía.

«¿Y qué hay de tu plan de expansión?».

Alice se había convertido en la maquilladora de novias más solicitada de Londres. Ella, que había jurado no casarse, tenía la agenda repleta de bodas. Se había convertido en su principal fuente de ingresos y como el salón de Chelsea se le estaba quedando pequeño, llevaba meses soñando con comprar un local mayor. El único problema era que no quería pedir un préstamo porque nunca había olvidado los tiempos en los que su madre no tenía dinero ni para pagar la electricidad.

Otra posibilidad era alquilar, pero no quería estar a merced de un propietario que subiera la renta o quisiera vender el edificio. Había trabajado demasiado para levantar su negocio como para arriesgarse a no tener su propio local.

«Podrías vender la villa en seis meses y estar libre de deudas el resto de tu vida».

Alice contempló esa idea por unos segundos. Su empresa era su bebé, su misión, su razón de ser. Conseguir que creciera, haber llegado a tener como clientes a celebridades y miembros de la aristocracia por la calidad de su servicio era la mayor satisfacción de su vida. Llegar a establecerse como el negocio de referencia era su objetivo. Y no podía fracasar después de todo lo que había sacrificado: relaciones, amistades, diversión.

Pero casarse con Cristiano para resolver un problema la sumiría en otro mucho más grave.

Alice se puso en pie con determinación.

–Ya lo he decidido. Ahora, si no te importa, tengo que seguir trabajando.

Cristiano seguía observándola como si estuviera esperando que su armadura se resquebrajara.

–¿Estás saliendo con alguien? ¿Por eso te niegas?

¡Siempre tan arrogante! Un hombre de su posición no podía entender que una mujer no se volviera loca de felicidad si alguien como él quería ponerle un anillo en el dedo. Cristiano lo tenía todo: dinero, belleza, un estilo de vida lujoso... A Alice le habría encantado poder decirle que tenía un amante y estuvo a punto de inventarse uno, pero estaba segura de que a Cristiano no le costaría nada averiguar que no tenía vida social. Estaba dedicada a su trabajo en cuerpo y alma.

–Ya sé que te consideras irresistible, pero no pienso prostituirme por una herencia que ni he pedido ni necesito.

–Cuando he dicho que solo sería un matrimonio sobre el papel no mentía, Alice –dijo él sin inmutarse.

Nadie decía su nombre como él. El sonido siempre había sido como una sensual caricia que le recorría la espalda, haciéndole estremecer. Pensar en sus manos hizo que dirigiera la mirada hacia ellas a pesar de que su cerebro intentara impedirlo. Aquellas grandes manos habían recorrido cada poro de su piel. Aquellos dedos le habían provocado su primer orgasmo verdadero, habían descubierto sus zonas erógenas, la habían torturado de placer, sacudiéndola hasta el tuétano. Todavía podía sentir el eco de aquellas sensaciones, como si estar en la misma habitación que él, respirando el mismo aire, hiciera que su cuerpo lo reconociera como un suministrador de placer.

Alice alzó la mirada hasta sus ojos. Cristiano lo sabía. Sabía el poder que ejercía sobre ella; lo percibió cuando la miró de arriba abajo, como si también él recordara lo que se sentía al tenerla en sus brazos mientras ella estallaba en mil pedazos, estremeciéndose y temblando de placer.

Cristiano se sacó una tarjeta del bolsillo y la dejó sobre el escritorio.

–Si cambias de idea, puedes contactarme aquí. Estaré en Londres por trabajo durante una semana.

–No voy a cambiar de idea, Cristiano –dijo ella, sin molestarse en mirar la tarjeta.

Él sonrió con desdén.

–Ya veremos.

¿Qué quería decir con eso? Alice no pudo preguntárselo porque Cristiano había dado media vuelta y había salido del despacho, dejando tras de sí un olor a limón y lima que provocó un cosquilleo en sus fosas nasales... y en el resto de su cuerpo.

Meghan se presentó en la puerta con los ojos desorbitados.

–¡No me habías dicho que conocías a Cristiano Marchetti! Es todavía más guapo que en las fotografías. ¿Qué quería? ¿Un tratamiento? Por favor, por favor, deja que se lo haga yo.

Alice no pensaba comentar con Meghan su relación con Cristiano. Además, si alguien «le hacía algo» a Cristiano, sería ella. Le encantaría borrarle la sonrisa con una capa de cera bien caliente sobre el pecho.

–No es un cliente. Nos conocimos hace años. Solo ha venido a saludar.

–¿Quieres decir que salisteis?

Alice se limitó a fruncir los labios y Meghan se ruborizó.

–Perdona, no debía habértelo preguntado. Sé que exiges total discreción con nuestros clientes. Pero es tan guapo... Y como no quieres salir con nadie, me preguntaba si...

–¿Te importa preparar la sala para el siguiente tratamiento? –la interrumpió Alice–. Tengo que repasar unas facturas.

Alice respiró aliviada cuando Meghan se fue. Llevaba siete años diciéndose que había tomado la decisión correcta al hacer de su carrera su prioridad, al elegir libertad por encima de una familia. Se había mantenido firme en su determinación, nunca la había dudado. Pero en aquel momento, tenía al alcance de la mano la seguridad económica con la que siempre había soñado.

Seis meses de matrimonio. Solo un papel.

Lanzó una mirada a la tarjeta. Parecía decirle: «Hazlo, hazlo».

Alice la tomó y la rompió en mil pedazos antes de tirarla a la papelera. Al ver que caía como confeti, esperó que no fuera una premonición.

De haber sido un bebedor, Cristiano se habría tomado una copa, pero la muerte de sus padres y su hermano en un accidente provocado por un conductor ebrio había hecho que bebiera con una extrema moderación. Volver a ver a Alice Piper había reabierto la herida de su amargura hasta tal punto que no sabía cómo había sido capaz de permanecer aparentemente impasible.

Pero aunque no hubiera manifestado el efecto que tenía sobre él, lo había sentido. Y cómo. La inyección de adrenalina, el pulso acelerado, el violento deseo...

Se había quedado allí, paralizado, observándola como un hombre sediento ante un vaso de agua fresca. Su gesto indiferente, sus ojos azules que podían congelar el mercurio, su mirada de desdén que le hacía sentir como un primate. Su cuerpo seguía siendo tan perfecto como siempre; su cabello rubio platino y su piel de porcelana volvieron a dejarlo sin aliento.

Su rechazo seguía doliéndole después de todos aquellos años. Había creído que lo que había entre ellos era para siempre; un amor único en la vida. Su apasionado affaire había sido distinto a todo lo que él hubiera experimentado con anterioridad. Había querido formar una familia con ella; había tenido la convicción de que su amor podía ser como el de sus padres, como el de sus abuelos... Su gran obsesión era crear una familia que sustituyera a la que había perdido de pequeño. Pensaba que había llegado el momento. Tenía veintisiete años y un próspero negocio hotelero. Estaba preparado para dar el siguiente paso en la vida.

Pero Alice no lo había amado. Aunque nunca hubiera dicho las palabras, él había querido engañarse pensando que sí las sentía. ¡Qué inocente había sido! Todo lo que ella quería era un affaire con un extranjero del que pavonearse ante sus amigas cuando volviera a casa.

¿En qué había estado pensando su *nonna*? ¿Qué le había llevado a dejarle una parte de una villa valorada en varios millones, incluyendo unas condiciones tan extrañas?

Cristiano confiaba en que no pretendiera actuar de casamentera desde la tumba. Su abuela sabía que él había cambiado de idea respecto al matrimonio. Cada vez que le preguntaba cuándo iba a darle un biznieto, él se reía. Su abuela había manifestado su desaprobación en numerosas ocasiones por su vida de playboy, pero él nunca había querido escucharla porque se negaba a que nadie le dictara cómo debía vivir.

Nadie.

Su abuela se había sentido terriblemente desilusionada cuando su relación con Alice acabó, pero él había estado demasiado sumido en su propio dolor como para hablar de ello. Con el paso del tiempo su abuela había dejado de sacar el tema. ¿Qué sentido tenía entonces lo que había hecho? ¿Pretendía obligarlo a hacer un hueco en su vida a Alice cuando era lo último que necesitaba?

Tal y como estaba redactado el testamento, si no convencía a Alice perdería unas valiosas acciones de la empresa familiar en favor de un primo con el que no se trataba. No pensaba ceder aquellas acciones a Rocco para que él las vendiera a un tercero en cuanto le faltara dinero en metálico para jugar en el casino. Cristiano se habría casado con su peor enemigo antes de consentirlo. Era culpa suya no haberle contado a su abuela los hábitos derrochadores de Rocco porque no había querido perturbarla cuando ya estaba gravemente enferma.

Y ya era demasiado tarde. El testamento estaba

escrito y él tenía que convencer a Alice Piper de que se casara con él.

Claro que Alice no era propiamente un enemigo. Era un error. Un fracaso que prefería no recordar y que había borrado de su memoria. Cada vez que amenazaba con aparecer en su mente, la hacía desaparecer. Había seguido viviendo como si nunca la hubiera conocido, como si nunca hubiera experimentado con ella un sexo que lo dejaba palpitante durante horas, como si no hubiera besado sus voluptuosos labios, como si no hubiera sentido aquellos labios en torno a él y no hubieran conseguido que le estallara la cabeza.

Cristiano estaba decidido a hacer creer a Alice que estaba encantado con los planes de su abuela. Le convenía que Alice creyera que estaba ansioso por ponerle la alianza en el dedo y atarla a él por seis meses. Además, no estaba seguro de que evitarla fuera la mejor manera de superar la punzada de dolor que todavía le causaba haber sido rechazado, y sospechaba que una terapia de inmersión podía poner fin a su tormento.

Que Alice le hubiera dedicado aquella mirada de superioridad y que hubiera dicho que no pensaba cambiar de idea, no significaba que en aquella ocasión él fuera a aceptar un «no» por respuesta.

Capítulo 2

AL CONTRARIO de lo que había esperado, Alice no tuvo noticias de Cristiano en un par de días. Entretanto, el abogado que se ocupaba de la ejecución del testamento la llamó para explicarle algunos detalles. Tenía que aceptarlo en un plazo determinado y, si no accedía a casarse con Cristiano tras un mes de compromiso, la villa se vendería a alguien de fuera de la familia Marchetti. Alice se preguntó si el temor a perder la casa de su infancia era el motivo de que la presionara o si era un caso de pura venganza.

Tres días después de la visita de Cristiano, Alice recibió una llamada del dueño del edificio del salón de belleza, Ray Gormley.

–Sé que te causo un problema, Alice, pero he vendido el edificio –dijo–. El nuevo dueño va a tomar posesión de inmediato, pero como te quedan varios meses de alquiler no...

–¡No tenía ni idea de que lo hubieras puesto a la venta! –exclamó Alice.

–Porque no lo había hecho, pero he recibido una oferta que no puedo rechazar –explicó él–. El comprador ha adquirido también el edificio contiguo. Dice que quiere convertirlo en un hotel de lujo.

Una sospecha le erizó el vello a Alice.

–¿Un... un hotel?

–Sí. ¿Has oído hablar de Cristiano Marchetti? Tiene una cadena de hoteles de lujo.

Alice apretó los dientes con tanta fuerza que le dolió el cuello.

–¿Marchetti se ha puesto en contacto contigo de repente?

–Sí –contestó Ray–. Dice que lleva buscando desde hace tiempo un edificio en Londres porque el Reino Unido es el único país de Europa donde no tiene un hotel.

Alice pensó que se le iba a salir el corazón del pecho. ¿Cristiano era su nuevo casero? ¿Qué pensaba hacer, subir el alquiler hasta que accediera a casarse con él? Le quedaban tres meses de alquiler por contrato. Precisamente ese era el motivo de que quisiera ser dueña de su siguiente local. Hasta ese momento, Ray le había asegurado que no tenía ningún interés en vender. Pero ¿qué pasaría cuando Cristiano se hiciera con el edificio?

Alice colgó y recorrió el despacho arriba y abajo como una leona enjaulada. Era escandaloso que Cristiano recurriera a aquel tipo de maniobra para doblegar su voluntad. Se arrepintió de haber roto su tarjeta de visita, pero decidió probar a llamarlo al teléfono que recordaba de memoria por si seguía siendo el mismo que siete años atrás.

Se sentó y marcó el número y lo dejó sonar. Cuando estaba a punto de colgar, contestó una sensual voz femenina.

–¿Hola?

A Alice se le hizo un nudo en el estómago.

–Creo que me he equivocado...

–¿Quieres hablar con Cristiano?

–Sí, pero si está ocupado...

–Está aquí, a mi lado –dijo la mujer–. ¿Quién le llama?

Alice apretó los dientes. Era mediodía, ¿cómo era posible que en lugar de trabajando, Cristiano estuviera en la cama con una de sus ninfas?

–Alice Piper.

Oyó que le pasaba el teléfono y Alice no pudo evitar formarse una imagen de Cristiano enredado entre las sábanas con una mujer acurrucada a su lado.

–Esperaba tu llamada –dijo Cristiano–. ¿Ya has cambiado de idea?

–No –repuso ella, asiendo el teléfono con tanta fuerza que se le pusieron blancos los nudillos.

–¡Qué lástima! –dijo él con sorna–. No quería tener que jugar sucio.

Alice se irguió.

–Sé lo que pretendes, pero...

–Ven a mi hotel para que lo comentemos con una copa.

Alice no pensaba acercarse a su hotel. No confiaba en lo que pudiera pasar si tenían una cama cerca. Y no temía tanto a Cristiano como a sí misma, a su cuerpo, que lo recordaba como si fuera un idioma que creía haber olvidado. Incluso en ese instante, respondía a la profunda cadencia de su voz, que alteraba sus sentidos como una droga.

–Prefiero que nos veamos en otro sitio.

–¿Te da miedo?

La voz aterciopelada de Cristiano la sacó de su estupor y le recordó que debía protegerse. Cristiano no era el mismo que siete años atrás. Era un hombre más duro, sin compasión, brutal y calculador. Debía ser cauta. Ya no estaba enamorado de ella. La odiaba y quería vengarse.

–No me das miedo, Cristiano.

–Puede que no, pero te da miedo lo que te hago sentir. Siempre ha sido así entre nosotros, ¿verdad?

–En el pasado, solo despertabas deseo en mí.

–Y también ahora, ¿verdad, *cara mia*? –su voz era como una pluma que le acariciara la nuca.

–Te equivocas. Solo siento desprecio.

–Eso es un insulto en boca de alguien que ha compartido su cuerpo conmigo.

–¿Sabes una cosa? Yo no te rompí el corazón, solo herí tu ego. Eso es lo que pasa, ¿verdad? que soy la única mujer que te ha dicho que «no». Si me hubieras amado, habrías respetado mi decisión.

–Ya hablaremos de eso en otra ocasión –dijo Cristiano, adoptando un tono áspero–. Ahora quiero discutir contigo la subida de tu alquiler.

Alice se puso tensa. Para él, el dinero no era un problema porque había heredado varios millones al morir sus padres. Pero ella no tenía familiares ricos que pudieran ayudarla en tiempos de dificultad. Todo lo que tenía lo había conseguido a base de trabajo. Cristiano tenía en sus manos el poder de arruinarla.

–Me pregunto qué habría sido de ti si no hubieras heredado tanto dinero.

Se produjo un silencio cargado de hostilidad.

Alice se preguntó si iban a entrar en una de sus gigantescas discusiones. Con el tiempo se había dado cuenta de que su relación había consistido en una pugna entre voluntades. Habían discutido constantemente y siempre se habían reconciliado en la cama.

Hacer el amor se había convertido en una tregua entre batallas, pero nunca había resuelto los problemas subyacentes.

Cristiano había querido controlarla y ella no había cedido.

Tras dar un profundo suspiro, él declaró:

–Daría cada céntimo por ver a mis padres y a mi hermano por un día, o mejor aún, por no haberlos perdido hace veintitrés años.

Alice se avergonzó de sí misma. Había sido un golpe bajo. Pero entre ellos las discusiones, combinadas con un intenso deseo, habían sido una especie de juegos preliminares. No recordaba ninguna ocasión en la que hubieran charlado sin que en algún momento uno de los dos hubiera saltado por cualquier motivo.

–Lo siento. No debería haber dicho eso...

–Tengo que irme. Natalia me espera.

Alice se sintió como si le clavaran un puñal en el vientre. Había olvidado que Cristiano estaba con una bonita compañera de cama mientras hablaba con ella. Los celos crecieron en ella como una bestia despertada abruptamente; las garras del monstruo se le clavaron en las entrañas, dejándola vacía. Sabía que no tenía derecho a sentirse así. Ella había terminado la relación, no él. Cristiano podía acostarse con quien le diera la gana. No tenía sentido que imaginar que hablaba con ella mientras una mujer yacía a su lado le... doliera tanto.

–Perdona que te entretenga con cuestiones de trabajo en medio de tu momento de placer –dijo–. Quizá la próxima vez que estés en una de tus maratones sexuales te acuerdes de silenciar el teléfono.

Se produjo otro breve silencio.

Alice se arrepintió de haber sonado tan airada. Cada palabra había salido cargada de veneno. ¿Estaba loca? Lo último que debía hacer era proporcionarle munición que pudiera utilizar contra ella, y los celos eran un arma muy poderosa.

–Te recojo a las siete para cenar –declaró Cristiano, como si ella no hubiera dicho nada–. Dame tu dirección.

–No voy a cenar con...

–O cenas conmigo o cancelo tu alquiler ahora mismo.

Alice sintió el corazón en la garganta.

–¡No puedes hacerlo!

–¿Tú crees?

Alice tragó saliva para contener el pánico. Debía medir sus palabras. No podía arriesgarse a provocarlo. De hecho, aceptar la cena sería la manera de demostrarle que podía pasar unas horas con él sin intentar desnudarlo.

«No pienses en su cuerpo», se amonestó. Con toda seguridad todavía estaría sudoroso después de un sexo espectacular...

–¿No le importará a Natalia que salgas con otra mujer?

–No.

A Alice le frustró que la contestara con un monosílabo.

–Debe de ser muy abierta si no le importa que veas a otras mujeres mientras sales con ella.

–Natalia sabe cuál es su lugar.

–¿Vas a casarte con ella?

–Está casada.

Alice se quedó muda por un instante. ¿Qué había sido de los principios tradicionales de Cristiano? En el pasado, no se habría acostado con una mujer casada. Despreciaba a los hombres y mujeres que eran infieles. Hablaba a menudo de la relación duradera de sus padres y de cuánto admiraba la lealtad que se habían profesado hasta el último momento. «Hasta que la muerte nos separe» era un principio en el que creía firmemente.

¿Qué le habría hecho cambiar?

«Tú».

Esa posibilidad se convirtió en un peso en su pecho. ¿Habría sido ella quien había destruido su fe en las relaciones? Pero no hubiera podido actuar de otra manera. No estaba preparada para sentar la cabeza, y rechazar una proposición de matrimonio no era un crimen. Tenía derecho a no querer casarse... Pero aun así la posibilidad de haber contribuido a que Cristiano se convirtiera en un playboy que rechazaba el compromiso la perturbaba. ¿Era posible que ya no ansiara formar una familia? ¿Y por qué esa posibilidad le producía tanta... tristeza?

–Si es así, te dejo. Así puedes volver a tu sórdido affaire.

–Hasta esta noche –dijo él. Y antes de que Alice pudiera responder, colgó.

Alice se vistió para la cena como si se preparara para un combate. Con cada capa, iba construyendo una armadura de sofisticación de la que había carecido siete años atrás.

Se había preguntado a menudo qué habría visto

Cristiano en ella. Tenía veintiún años y acababa de graduarse como esteticista. Era su primer viaje al extranjero sin amigas, con un presupuesto reducido y una mochila al hombro con la que pensaba recorrer Europa. Pero nada más llegar a Italia, había conocido a Cristiano en una animada calle de Milán cuando un fular que llevaba atado en la mochila se había quedado enganchado en la ropa de Cristiano.

Los dos se habían tenido que parar en medio de la acera, atados el uno al otro en una escena cómica. Cristiano había hecho una broma, diciendo que aquello dotaba de un nuevo significado a la frase «enrollarse con alguien», y ella había estallado en una carcajada.

Una vez consiguió soltarse, Cristiano insistió en invitarla a un café.

Un café se convirtió en dos y en una cena. En lugar de volver al albergue, Alice se encontró aceptando la invitación de alojarse en el piso que Cristiano tenía en el centro. No se había sentido presionada en ningún momento a acostarse con él, aunque la atracción entre ellos fuera palpable. Pero el respeto con el que él la había tratado la había impresionado. Pocos hombres de veintisiete años habrían invitado a una mujer a su casa sin esperar nada a cambio.

Finalmente, había sido ella quien dio el primer paso. Todavía recordaba su primer beso. A veces, cuando cerraba los ojos, sentía sus firmes labios contra los suyos haciendo vibrar cada célula de su cuerpo. Un beso no había sido suficiente. En segundos, ella le quitaba la ropa y prácticamente lo devoraba.

Alice sacudió la cabeza... Los besos embriagadores, los increíbles juegos preliminares, el sexo salvaje, los cegadores orgasmos que la dejaban temblorosa durante horas... ¿Cómo había podido vivir sin todo ello?

Suspiró y tomó el lápiz de labios. No había conocido a ningún otro hombre que le despertara tal deseo, que le hiciera sentir que no podía vivir sin sus abrazos. Y precisamente por eso debía ser cauta. No podía permitir que Cristiano creyera que no había superado su pérdida. Después de todo, lo había conseguido: era una mujer de negocios de éxito, con dinero en el banco... aunque la mayoría fuera prestado.

¿Qué más podía necesitar?

Sonó el timbre de la puerta; Alice metió el lápiz de labios en el bolso, eligió un chal y fue a abrir.

–Llegas tarde –dijo–. Habías dicho a las siete, y son las siete y media.

Cristiano se encogió de hombros como si la cortesía ya no le pareciera importante.

–Sabía que me esperarías.

Lo dijo como si se refiriera a los siete últimos años de su vida. Alice alzó la barbilla y lo miró con desdén.

–¿Cómo has averiguado dónde vivo?

–Gracias a tu amable excasero.

El énfasis en «ex» le alteró los nervios a Alice. Se ajustó el chal a los hombros pensando cuánto le gustaría usarlo para estrangular a Cristiano.

–¿Dónde vamos a cenar?

–¿No vas a enseñarme tu casa primero?

Alice frunció los labios.

–No creo que esté a la altura de la tuya.

Cristiano miró a su alrededor atentamente.

–Me gusta. ¿Desde cuándo vives aquí?

–Desde hace dos años.

–¿Sola?

Alice le sostuvo la mirada a pesar de que cada átomo de su cuerpo protestó.

–Por ahora.

La respuesta pareció satisfacer a Cristiano.

–Es grande para una mujer sola. ¿Cuántos dormitorios tiene?

–Cuatro.

Cristiano enarcó las cejas.

–¿Estás de alquiler?

Alice le lanzó una mirada airada.

–¿Por qué? ¿Vas a comprarla para poder subirme la renta? Pues lo siento, pero es mía –o, para ser más precisa, del banco.

Cristiano esbozó una sonrisa que le alteró el pulso a Alice.

–Podrías pagar el préstamo y aún te quedaría dinero si accedieras a la cláusula del testamento de mi abuela. También podrías ampliar tu negocio.

Alice frunció el ceño. ¿Quién le había dicho que quería ampliar el negocio? Cristiano siempre había tenido una extraña habilidad para leerle la mente. Además del cuerpo.

–Ni mi vida personal ni mi vida profesional son de tu incumbencia.

Él la recorrió con la mirada con una intensidad que despertó el deseo en su interior. Conocía bien aquella mirada. Decía: «Te deseo y tú a mí también. Puedo demostrártelo cuando quiera».

–Debes de sentirte sola a menudo viviendo en una casa tan grande.

–En absoluto.

Cristiano resopló con desdén.

–No, claro.

Alice se dio cuenta de pronto de que se había aproximado a ella. Cristiano le tomó un mechón de pelo y se lo enredó en el dedo, provocando un hormigueo en su cuero cabelludo.

–¿Me has echado de menos, *cara*? –preguntó con voz aterciopelada.

Alice tuvo que tragar saliva varias veces para recuperar la voz.

–Si no me sueltas ahora mismo te voy a clavar las uñas en la mejilla.

Cristiano volvió a sonreír con sorna y tiró con más fuerza del mechón.

–Preferiría que me las clavaras en la espalda.

Alice sintió que prendía una hoguera en su interior. Habría jurado que sentía a Cristiano de nuevo adentrándose en ella hasta hacerle perder el control. La sangre le corrió por las venas como la lava de un volcán.

«Domínate, domínate, domínate».

Aunque las palabras se repetían como un mantra en su cerebro, su cuerpo no la obedecía. ¿Se había inclinado hacia él o Cristiano hacia ella? Sus muslos rozaban los de ella, devolviéndole el recuerdo de aquellas piernas aprisionándola bajo su sensual peso. El sexo con Cristiano siempre había tenido un elemento de peligro, de fuerza descontrolada que le proporcionaba placer y miedo a partes iguales. Nunca había sentido nada igual con otro hombre. Y ese era un motivo más para odiarlo.

Alice se echó hacia atrás aunque le supuso un tirón de pelo.

–Ni lo sueñes.

Cristiano sonrió con sarcasmo.

–Si quisiera, podría tenerte en un abrir y cerrar de ojos, y lo sabes.

–Ah, pero tú mismo has dicho que no es así –replicó Alice, enarcando una ceja–. ¿No era solo un matrimonio sobre el papel?

Cristiano hizo un rictus, retrocedió y abrió la puerta.

–Si no nos ponemos en marcha vamos a perder la reserva. He tenido que mover algunos hilos para conseguirla.

–Mover hilos para que la gente haga lo que quieres se te da bien, ¿verdad, Cristiano? –comentó Alice con una sonrisa de una fingida dulzura, a la vez que pasaba a su lado–. Es una pena que no puedas hacerlo conmigo.

Cristiano la sujetó con firmeza por el antebrazo, obligándola a volverse. Clavando sus ojos azabache en ella, dijo:

–No he acabado contigo todavía. Pero, cuando lo haga, te juro por Dios que me pedirás de rodillas que me case contigo.

Alice lo miró desafiante a la vez que se soltaba de él y se frotaba el brazo como si le quemara. ¿Por qué era tan excitante combatir con él? Hacía años que no se sentía así: viva, acelerada, encendida.

–¿Crees que puedes forzarme a que haga lo que tú quieres? Inténtalo si quieres.

Cristiano le miró los labios y Alice sintió que le subía la temperatura del cuerpo.

–Serías una idiota si no aprovecharas esta oportunidad. No dejes que las emociones se interpongan en un buen negocio.

–¿Crees que puedes darme lecciones sobre emociones? Fuiste tú quien se enamoró de mí, no yo de ti. Y ahora me quieres castigar por haber sido la única persona capaz de enfrentarse a ti y...

–No estaba enamorado de ti.

Aquellas palabras hirieron a Alice como fuego de metralla. Parpadeó varias veces. ¿No la había amado? ¿Ni siquiera un poco?

–Vale, bueno, pues me alegro. Entonces te hice un favor al rechazarte. Si no, habríamos tenido que divorciarnos. Imagínate lo que eso te habría costado.

Cristiano abrió la puerta del coche y le indicó que entrara con un gesto brusco de la cabeza como si fuera un oficial de policía que llevara a un sospechoso a comisaría.

–Entra.

Alice se cuadró de hombros y le lanzó una mirada incendiaria.

–Pídemelo con amabilidad.

Un músculo palpitó en el mentón de Cristiano y sus ojos brillaron como ascuas.

–Sabes lo que va a pasar si tensas la cuerda demasiado –dijo en un tono de terciopelo que encubría una determinación de hierro.

Alice lo sabía, pero no podía evitarlo. Quería provocarlo, someterlo, reducirlo a su estado más primario. Una llama prendió en su interior y su calor le recorrió el cuerpo. Sus senos cosquillearon en anticipación al roce de las posesivas manos de Cristiano; los muslos le temblaron con el recuerdo de su íntima invasión; la sangre se le aceleró, arremolinándose hasta hacer que cada músculo de su vientre se contrajera.

Nadie le hacía sentirse tan activada. Tan... excitada.

Alice le sostuvo la mirada. El aire estaba tan cargado de electricidad que casi podía oírlo crepitar.

–¿Qué vas a hacer, Cristiano? Cargarme sobre el hombro y raptarme como el cavernícola que eres bajo ese elegante Armani.

La tensión volvió a congelar los labios de Cristiano a la vez que su mirada batallaba con la de ella. Soltó la puerta y, tomando la mano de Alice, tiró de ella hasta que sus cuerpos se rozaron y Alice pudo notar la hebilla de su cinturón clavársele en el estómago.

–¿Qué pasa, *cara*? ¿Llevas mucho tiempo de abstinencia? –preguntó en tono amenazador.

Alice se rio con un desdén al que le faltó convicción.

–Mi vida sentimental no es de tu incumbencia.

Cristiano apretó los dedos alrededor de su muñeca, creando un brazalete que lanzó corrientes eléctricas hasta lo más profundo de su ser.

–Lo será una vez nos casemos, dentro de un mes.

Alice alzó la barbilla y clavó en él una mirada que destilaba desprecio.

–Parece que no entiendes la palabra «no». No-voy-a-casarme-contigo.

Cristiano esbozó una sonrisa felina.

–Tu deseo es tan intenso que prácticamente puedo olerlo.

Alice también podía oler la mezcla de almizcle y sal del deseo que emanaba de ellos dos como si fuera una pócima mágica cuyos peligrosos efluvios serpentearan por su cuerpo, estrangulando su voluntad hasta dejarla sin aire.

Solo Cristiano le hacía sentir un deseo tan intenso

que la reducía a un cuerpo palpitante que anhelaba ser saciado.

Cristiano presionaba los muslos contra los de ella; también su pulsante erección. Milagrosamente, Alice consiguió conjurar una sonrisa burlona.

–Tienes un ego tan grande que necesita su propio país.

Cristiano esbozó una sonrisa y aflojó la presión sobre su muñeca a la vez que le acariciaba el interior con el pulgar.

–¿Has echado de menos lo que había entre nosotros?

Alice consiguió componer una máscara de indiferencia.

–Ni un ápice.

La mirada de Cristiano la mantuvo cautiva.

–¿Y por qué no has tenido ninguna relación seria desde entonces?

¿Cómo demonios podía saberlo?

Alice enarcó una ceja.

–Será que no te has informado bien. Al contrario que a ti, a mí no me siguen los paparazzi.

–¿Cuál ha sido tu última relación?

Alice puso los ojos en blanco.

–¿Qué es esto? ¿Un interrogatorio?

–Así que hace mucho –dijo él sin parpadear.

Alice frunció los labios y luego los relajó con un suspiro.

–¿Vamos a ir a cenar o vamos a intercambiar cromos de nuestras conquistas? ¿Quieres una lista de nombres y teléfonos? Si te excita, puedo incluso proporcionarte una copia de mensajes y correos.

Cristiano le soltó el brazo y apoyó la mano en la parte alta de la puerta.

–No es necesario.

Alice se sentó y le lanzó una mirada de odio por el parabrisas cuando él fue hacia el lado del conductor y se acomodó tras el volante. Cristiano arrancó y se incorporó al tráfico tras echar una ojeada por encima del hombro.

Alice no sabía por qué la forma de conducir de Cristiano siempre le hacía pensar en el sexo. El rugir del motor, el cambio de marchas, la presión sobre los frenos y sobre el acelerador, le hacían pensar en todas las veces que, en la cama o en tantos otros lugares, la había conducido hasta el paraíso.

Alice fijó la mirada en sus manos sobre el volante. ¿Qué poder tenían para que le bastara con ver sus dedos para retorcerse de deseo? ¿Cómo iba a poder pasar una velada con él?

«¡Cómo he sido tan idiota para acceder a cenar con él!».

Esa era una de las más aterradoras habilidades de Cristiano: siempre conseguía que hiciera lo que él quería.

Pero...

Aquel «pero» no dejaba de repetirse en su mente. ¿Y si accedía? Seis meses pasaban rápido. Y al final de ese periodo, habría resuelto todos sus problemas económicos para el resto de su vida. Podría ampliar su negocio, comprar el equipo que necesitaba, decorar el local sin preocuparse por el presupuesto. Hasta podría tomarse las vacaciones que llevaba años negándose.

Alice le dio vueltas a aquella idea. Cristiano esperaba que lo rechazara. ¿Y si en el fondo eso era lo que quería? ¿Y si solo quería hacerle creer que quería ponerle una alianza en el dedo?

Alice sonrió para sí. Podía fingir que le llevaba la corriente por un tiempo y finalmente desenmascararlo, obligarle a admitir que solo buscaba vengarse de ella.

¿Estar casada seis meses con su peor enemigo?

El juego empezaba.

Capítulo 3

CRISTIANO flexionó los dedos alrededor del volante. Todavía sentía un cosquilleo en las yemas de los dedos con los que había tocado a Alice. El deseo que sentía por ella resonaba en su interior como un tambor primitivo. Le dolía, le quemaba, le hacía vibrar. Nadie lo reducía a aquel estado, ni despertaba en él tal anhelo; un anhelo que había convertido en una parodia el sexo del que había disfrutado antes y después de Alice.

No porque no hubiera tenido sexo de calidad en todos aquellos años. De hecho, había intentado aprovechar cualquier encuentro sexual para demostrarse que podía vivir sin ella. Pero ninguno había estado a la altura de lo que había experimentado con Alice. Su cuerpo, su tacto, su reacción de gata salvaje en celo, que despertaba en él una respuesta indefinible, un sentimiento que le hacía temblar cuando la tenía cerca; algo que, incluso en aquel momento, al saberla sentada a unos centímetros de distancia, provocaba en su interior una agitación que lo recorría como las réplicas posteriores a un terremoto.

Tenía que quitársela de la cabeza fuera como fuera.

No podía soportar por más tiempo la inyección de adrenalina que sentía cada vez que veía en medio de una multitud un cabello rubio platino, seguida de la profunda desilusión que lo invadía cuando descubría que no era ella. Tenía que demostrarse que ya no sentía nada por ella.

¿Sería eso lo que pretendía su *nonna,* que se enfrentara a ello y superara el fracaso que representaba Alice, a la que tanto se había esforzado en olvidar?

Cristiano se había prometido no acostarse con Alice, pero no estaba seguro de cuánto tiempo resistiría sin tocarla cuando le bastaba con alargar la mano para acariciar la parte del muslo que asomaba por debajo del vestido negro que llevaba.

Volvió a mover los dedos. Su ingle se rebeló cuando Alice cruzó una pierna sobre la otra y deslizó el delicado tobillo arriba y abajo, como si sintiera la misma agitación que él.

Estaba seguro de que era así.

Sonrió para sí. No se trataba de que tuviera un ego desbordado, sino de que percibía la batalla que libraba para controlar el deseo que sentía por él. Lo había notado en cuanto entró en su despacho y la vio parapetarse detrás del escritorio. Era evidente que no se atrevía a acercarse a él porque temía que su cuerpo la traicionara, tal y como el suyo lo traicionaba a él. Siempre había sido así entre ellos. Como la cerilla y la pólvora, la chispa y la llama, el gatillo y la bala.

Era solo cuestión de tiempo tenerla donde quería: suplicándole, arañándole con sus garras salvajes; gimiendo su nombre entre jadeos mientras él le demostraba lo que se estaba perdiendo. Lo que él se había estado perdiendo. ¡Cuánto había echado de menos el sexo con ella! Y a ella. Su espíritu luchador; su lengua afilada, su genio vivo y su habilidad para provocarlo y hacerle sentir que estaba viviendo al borde de un escarpado acantilado.

La manera en que su cuerpo se enlazaba al de él cuando la penetraba profundamente...

Quería conseguir que se casara con él, no acostarse con ella... aunque por lo que había visto hasta el momento, se acostaría con ella antes de lo que se había imaginado. Utilizar un chantaje económico no era su estilo, pero necesitaba convencerla para no perder las acciones. Y, mucho menos, la villa.

No podía perderla. Era la casa de su familia, el lugar en el que había pasado numerosas vacaciones felices con sus padres y su hermano. También su hogar el resto de su infancia y adolescencia, el sitio en el que, en un abrir y cerrar de ojos, había pasado de niño a hombre. Perder la villa sería como perder a su familia por segunda vez.

Tenía que convencerla de que seis meses pasarían pronto. Obligaría a Alice a vivir con él para que la prensa no sospechara. No iba a permitir que Alice Piper lo convirtiera en el hazmerreír de los tabloides. Iba a disfrutar obligándola a interpretar el papel de esposa devota. Sería divertido ver cómo intentaba saltarse los límites que le impusiera.

–Mientras cenamos, hablaremos de lo que vamos a hacer –dijo al cabo de un rato.

–¿Hablar? –replicó Alice, sarcástica–. Tú no hablas. Tú ordenas.

Cristiano sonrió de soslayo.

–Y tú obedecerás como una obediente esposa.

Aun sin mirarla, Cristiano percibió la ira en la mirada de Alice.

–No estamos en los cincuenta. Y no vas a ser mi...

–Como dice el testamento, nos casaremos después de un mes de compromiso –dijo Cristiano–. Si no, tu renta va a subir tanto que no vas a poder pagarla.

Alice se puso roja de ira.

–Eres un... bastardo –apretó los puños como si quisiera darle un puñetazo–. Un manipulador bastardo.

Cristiano se encogió de hombros.

–Insúltame tanto como quieras.

Alice guardó silencio un rato y Cristiano se preguntó si estaría calculando los pros y los contras de la situación. Tenía que reconocer que había conseguido montar un negocio sólido, pero no podría enfrentarse a una elevada subida del alquiler. Y él estaba dispuesto a usar esa baza.

–¿Por qué quieres cumplir con el mes de compromiso? –preguntó Alice–. Si tantas ganas tienes de que nos casemos, ¿por qué no vamos ahora mismo a un juzgado?

–Porque me niego a que se especule sobre los motivos de nuestra boda –contestó Cristiano, preguntándose si Alice solo especulaba o si empezaba a cambiar de opinión.

–¿De verdad piensas llevar esto tan lejos? Las bodas son muy caras.

–Puedo permitirme el gasto.

Tras una breve pausa, Alice dijo:

–Está bien –suspiró–. Tú ganas. Acepto.

A Cristiano le tomó por sorpresa que capitulara tan pronto. Esperaba que se resistiera más. Pero al instante se preguntó si no tendría un plan alternativo. Alice era muy lista. ¿Qué estaría maquinando? ¿Pensaba hacerle padecer cada minuto que permanecieran casados? ¿De verdad pensaba que podía ser más astuta que él? Cristiano sonrió para sí. No había calculado que pudiera llegar a divertirse.

–Me alegro de que empieces a ver el lado bueno de nuestra situación. ¿No crees que los dos salimos ganando?

La mirada que Alice le dedicó habría hecho que un enjambre de avispas buscara refugio.

–Todo el mundo se va a dar cuenta de que no es más que una farsa.

–En eso te equivocas, tesoro –dijo Cristiano–. En público vamos a actuar en todo momento como una pareja feliz y profundamente enamorada.

Alice resopló.

–Ni lo sueñes.

–Cuando estemos a solas, puedes sacar las garras –continuó él, como si ella no hubiera hablado–. De hecho, estoy deseando que lo hagas –concluyó, lanzándole una mirada felina.

Los ojos de Alice eran dos ranuras de hielo azul; sus voluptuosos labios estaban tan apretados que se habían convertido en una fina línea; todo su cuerpo parecía vibrar de rabia.

–¿Por qué me haces esto? ¿Por qué?

¿Por qué lo hacía? Era una buena pregunta. No se trataba solo de las acciones. En cierta forma, quería reescribir el pasado; ser él quien dijera que la relación había acabado. Nunca volvería a ser el que se quedaba atrás. Ya lo había sido cuando su familia lo había abandonado con tan solo once años.

El recuerdo de aquel día no se borraba. En ocasiones las garras de la desesperación le rasgaban el pecho y revivía aquel espantoso día en el que sus abuelos le habían dado la devastadora noticia de que sus padres y su hermano lo habían dejado solo en el mundo.

Así era como se había sentido cuando Alice rechazó su proposición en medio de un abarrotado restaurante: como si lo rodeara una pared invisible que lo separara del resto del mundo, con sus esperanzas y sus sueños hechos añicos.

–Tenemos asuntos pendientes, Alice.

–Yo creo que no –dijo ella, cada palabra un disparo.

Cristiano aparcó el coche antes de girarse a mirarla. Alice mantenía los brazos y las piernas cruzados; solo movía un pie arriba y abajo como si fuera un tic.

–*Cara*, sabes tan bien como yo que lo nuestro no ha terminado.

Alice le sostuvo la mirada a la vez que tragaba saliva. Luego la bajó hasta el nudo de su corbata y dijo:

–Siempre has jugado sucio.

–Juego para ganar. Como tú. Por eso siempre nos peleamos.

Alice alzó de nuevo la mirada hasta sus ojos, con una ira que hizo vibrar el aire que los separaba.

–No pienso dejarte ganar, Cristiano. Puedes chantajearme para que me case contigo, pero no puedes obligarme a enamorarme de ti. Eso es lo que quieres, ¿verdad? Seducirme para luego poder rechazarme como yo te rechacé a ti.

–Al contrario, harías mal en enamorarte de mí. En cambio, valdría la pena que te plantearas acostarte conmigo.

Alice abrió los ojos como platos.

–Pero si has dicho que...

–Cambiar de idea no es pecado, ¿no?

Alice abrió y cerró la boca varias veces antes de poder articular palabra:

–No pienso acostarme contigo por mucho que me chantajees.

–Vale, probablemente sea lo mejor –Cristiano abrió la puerta y bajó del coche–. Puedo satisfacer mis necesidades en otro sitio.

Alice saltó del coche a su vez.

–¡Ni hablar! –dijo, poniendo los brazos en jarras–. Si tú puedes tener amantes, yo también.

Cristiano sacudió la cabeza como si estuviera tratando con una niña díscola.

–Yo soy quien pone las reglas. Tú las obedeces.

Alice le clavó un dedo en el pecho como si fuera un taladro.

–No pienso obedecer tus estúpidas reglas. Voy a hacer lo que me dé la gana y tú no vas a detenerme.

Cristiano le asió la mano, dominando el impulso de atraerla hacia sí y demostrarle lo que le hacía sentir. Pero debía tener paciencia y esperar a que fuera ella quien diera el paso, tal y como estaba seguro que haría. Su fiero carácter estaba atizando las brasas del fuego; el calor estaba convirtiéndose en una hoguera de deseo que hacía vibrar su interior como si lo recorriera un tren desbocado y sin frenos.

¡Cuánto la deseaba!

Alice era una sed que no podía saciar. Un hambre que ningún otro alimento satisfacía. Alice estaba en su sangre, en su cuerpo; era una fiebre que había permanecido latente hasta que entró en su salón de belleza y la vio sentada tras su escritorio con gesto frío e indiferente.

Pero él sabía que no le era en absoluto indiferente. Lo veía en sus ojos, en la forma en que su lengua recorría sus labios frecuentemente, como si recordara el sabor y la sensación de sus besos.

Cristiano deslizó la mano por la cálida y suave piel del muslo de Alice.

–Si no estuviéramos en público, podría poseerte aquí mismo.

Alice retrocedió como si la hubiera quemado.

–No te acerques a mí.

–Cuidado, Alice, estamos en público. Compórtate.

Los ojos de Alice se convirtieron en dos centelleantes ranuras; su cuerpo temblaba visiblemente.

–Ya verás cuando estemos a solas.

Cristiano sonrió con sorna.

–Estoy deseándolo.

Alice estaba tan furiosa que apenas podía leer la carta del restaurante. ¿Qué pretendía realmente Cristiano al casarse con ella? Las acciones no podían ser el verdadero motivo. Quería casarse con ella para castigarla, para humillarla.

Pero cuanto más pensaba en las ventajas a largo plazo de un dolor tan breve, más consciente era de que la decisión estaba clara. Si quería llegar a la cima de su profesión, aquella era la forma más segura e inmediata.

Recordaba la villa de la abuela de Cristiano, una preciosa casa al borde del lago, con un frondoso jardín, fuentes, estatuas de mármol y una piscina de dimensiones olímpicas. ¡Estaría loca si renunciara a algo así!

Además, el afecto que la anciana había sentido por ella era recíproco. Y Alice no quería arriesgarse a sufrir ningún castigo paranormal por rechazar su generosa herencia. Era la forma correcta y respetuosa de actuar.

La única desventaja era que Cristiano, el hombre que conseguía excitarla con solo mirarla, formara parte del trato.

Alice se removió en el asiento, para dominar el hormigueo que la recorría. Por un instante había creído que Cristiano iba a besarla. Habían estado tan cerca el uno del otro que había podido sentir el calor de su cuerpo y había anhelado que sus labios se cerraran sobre los de ella; que no le dieran tiempo a reaccionar y rechazarlo.

¿Estaba mal de la cabeza?

¿No era eso precisamente lo que Cristiano buscaba: demostrarle que no podía resistirse a él, que la conocía como un virtuoso a su instrumento? Sabía qué acordes pulsar, qué cuerdas vibrar, qué melodías tocar.

¿Cómo había creído que podía ser más astuta que él? Cristiano no era el tipo de hombre que pudiera ser manipulado. Disfrutaba demasiado de tener el control como para cedérselo a otra persona.

Lo cierto era que, siete años atrás, a Alice le había sorprendido que la dejara ir. Había creído que lucharía por ella, que removería cielo y tierra para recuperarla. Había estado segura de que se pondría en contacto con ella y se disculparía por haberla presionado al declarársele en público.

Pero Cristiano no había hecho nada de eso. Ni la había llamado, ni le había mandado un mensaje, o flores, o una tarjeta. Pasaron las semanas y Alice no tuvo noticias de él. Entonces lo vio en una fotografía en una discoteca de Milán, rodeado de preciosas mujeres. Un día más tarde, con su nueva novia, una modelo famosa. Ver que seguía con su vida y que ella no era «la única mujer para él» fue como sentir un puñal clavándosele en el pecho. Cristiano no la había amado verdaderamente. Solo había querido controlarla.

Pero eso no pasaría jamás.

Una cosa era que acelerara sus hormonas y otra que fuera a permitir que dominara su vida. Se casaría con él para conseguir lo que anhelaba.

«Es él lo que anhelas».

Aunque esa fuera una incómoda verdad, no sería un impedimento. Ella tenía una gran fuerza de voluntad. Un compromiso de un mes era el primer obstáculo, pero pasaría la mayoría del tiempo trabajando. Septiembre era un mes muy ajetreado. Además, Cristiano tenía a su amiguita... por la que ella no pensaba manifestar ni un ápice de celos. ¿Qué más le daba que Cristiano quisiera tontear? Si iba a ser su prometida y después su esposa, sería la peor prometida y la peor esposa posible.

Alice sonrió con picardía y apuró la copa de vino en un par de sorbos antes de dejarla sobre la mesa con brusquedad.

–Muy bueno. ¿Y cuándo vas a regalarme el anillo? ¿O lo tienes en el bolsillo?

Cristiano la miró con ojos centelleantes.

–Pues sí –metió la mano en el bolsillo y sacó la sortija que le había comprado hacía siete años.

Alice la tomó de la palma de su mano y se la puso. Le quedaba grande, y el pesado diamante giró hasta quedar en el lado interno. El ejercicio y la dieta le habían hecho perder unos cuantos kilos. Pero la sortija no le había quedado bien entonces, ni le quedaba bien en el presente.

–Precioso. Voy a ser la envidia de mis amigas –viendo que Cristiano fruncía el ceño, le guiñó un ojo y añadió–: ¿Pasa algo?

Cristiano relajó el ceño, pero sus labios se mantuvieron en tensión.

–Tenemos que discutir unos cuantos detalles domésticos. Por ejemplo, dónde vamos a vivir las cuatro semanas de nuestro compromiso.

Alice se irguió.

–No voy a vivir contigo. Tengo mi propia casa y...

–Sería raro que no viviéramos juntos. Puedes mudarte conmigo al hotel o yo a tu casa. Como quieras.

Alice alzó la barbilla con gesto airado.

–¿Y si me niego?

La mirada fija de Cristiano hizo que se le contrajera el vientre.

–Podemos llegar a un acuerdo: pasamos unas noches en tu casa y otras en el hotel.

Alice se rio con desdén.

–¿Tú llegando a un acuerdo? No me hagas reír.

Cristiano pasó por alto el comentario.

–Una vez nos casemos, tendremos que vivir juntos, y puesto que yo...

–Ni sueñes con que me mude a Italia. Tengo la agenda de trabajo llena hasta Navidades –o prácticamente. Pero ¿por qué tenía que ser ella quien sacrificara su carrera?

Un músculo palpitó en el mentón de Cristiano.

–Tienes que estar conmigo. Solo son seis meses. No pienso ceder.

Alice frunció los labios y se inclinó como si estuviera hablando con un niño caprichoso.

–Oh, pobrecito, ¿querías salirte con la tuya? –se reclinó en el asiento y, cruzándose de brazos, añadió con gesto adusto–: Lo siento. La respuesta es «no».

Cristiano la miró con severidad.

–¿Siempre tienes que ser tan obstinada?

–Mira quién fue a hablar –dijo Alice, riéndose.

Cristiano sonrió burlón.

–He reservado un vuelo a Italia para el viernes. Pasaremos el fin de semana en Stresa. Tómatelo como un ensayo para la luna de miel.

A Alice se le formó un nudo en el estómago.

–Asumo que solo para mantener las apariencias.

Cristiano esbozó una leve sonrisa.

–Eso depende.

–¿De qué? –preguntó Alice.

–De si tienes suficiente fuerza de voluntad como para resistirte a mí.

Alice le lanzó una mirada envenenada.

–Te equivocas, chico italiano. Recuerda que vas a satisfacer tus necesidades con otra.

–Natalia es mi ayudante personal.

Alice enarcó las cejas.

–Y cuéntame, ¿también te ayuda con tu vida sexual?

Una sonrisa curvó los labios de Cristiano, haciendo que en el extremo de sus ojos se formaran unas atractivas arruguitas. Tanto que a Alice le costó apartar la mirada y evitar pensar en cuánto le gustaba sentir aquellos labios contra los suyos.

–Estás celosa.

Alice se rio con desdén.

–Sí, claro. Estoy tan loca por ti que llevo todos estos años esperando a que vinieras, me ataras a la pata de la cama y me dejaras embarazada.

La sonrisa se borró de los labios de Cristiano y fue reemplazada por una fina línea.

–Vivirías muy bien conmigo, Alice.

Alice dio otro sorbo de vino, aunque era consciente de que se le estaba subiendo a la cabeza.

–Me encanta mi vida. Tengo mi propio negocio, mi propia casa, dinero, amigos.

–Pero no eres feliz.

Alice apuntó a Cristiano con un dedo amenazador y dijo:

–¿Sabes lo que estás haciendo? Proyectar tus propias frustraciones. Eres tú quien no es feliz.

–Lo seré en cuanto pasen seis meses –dijo él, apretando los dientes–. No sé por qué mi abuela ha tenido que interferir en mi vida de esta manera.

Alice toqueteó la copa mientras se hacía la misma pregunta. ¿No era consciente Volante Marchetti de que no servía de nada forzarlos a estar juntos? Se odiaban. Se peleaban como el perro y el gato. Solo podían acabar siendo aún peores enemigos que en el pasado.

De pronto se dio cuenta de que ni siquiera le había dado el pésame cuando sabía que Cristiano adoraba a su abuela. De hecho, había sido otro de los motivos de que le gustara tanto: el afecto y respeto que sentía por sus mayores.

–Debes de echarla terriblemente de menos.

Cristiano suspiró profundamente y se le hundieron los hombros.

–Sí.

–¿Estuvo un tiempo enferma o fue algo...?

–Cáncer de páncreas. Falleció cuatro meses después del diagnóstico.

–Debió de ser muy duro.

–Sí, pero no tanto como lo de mis padres y mi hermano. Tenía ochenta y cinco años y estaba frágil. Había llegado su hora.

Alice se preguntó qué relación mantendría con el resto de su familia. Sabía que tenía un tío y varios primos, pero haber perdido a todos los miembros de su familia más cercana tenía que haberle resultado muy doloroso. Ella no se sentía particularmente unida a su madre, solo veía de vez en cuando a su padre y apenas coincidía con el resto de su familia, pero aun así le costaba imaginarse el mundo estando completamente sola.

Después de pedir la cena al camarero que acudió a servirles, Cristiano cambió de tema.

–Tenemos que hablar de cuestiones legales. Supongo que te parecerá bien que firmemos un acuerdo prenupcial.

–Claro –Alice lo miró indicando que no tenía la menor intención de quedarse con su dinero.

–Muy bien. Haré que redacten el documento y mañana lo firmaremos.

Alice se preguntó si temía que se echara atrás.

–¿Qué vas a hacer con la prensa? Nadie va a creerse que esto es un noviazgo real.

–Que estuviéramos implicados en el pasado hace que sea creíble. A todo el mundo le encantan las historias en las que el amor termina triunfando.

–No cuentes con que me vista de princesa –dijo Alice–. No es mi estilo.

Se produjo un tenso silencio y Alice se alegró de que Cristiano no supiera que tenía una colección de revistas de novias.

–¿No quieres ser princesa por un día? Puede que esta sea tu única boda.

–En eso tienes razón. El día que nuestro matrimonio acabe lo celebraré con litros de champán.

Resultaba extraño hablar del final de su matrimonio cuando la gente solía casarse pensando que era para siempre. Entre las fantasías de Alice nunca había estado la de casarse. Siempre había visto el matrimonio como una manera de esclavizar a las mujeres, como un instrumento para preservar los privilegios masculinos en la sociedad. Ella había visto cómo su madre iba perdiendo la confianza en sí misma y el dinero con cada uno de sus fracasos. Había vivido tan cerca de la pobreza desde niña que había jurado no casarse jamás.

Pero en los últimos tiempos, había tratado con muchas novias felices, locamente enamoradas de sus maridos, igual que ellos de ellas. Y aunque siempre había pensado que nunca le pasaría, habían llegado a contagiarle el entusiasmo de pensar en un futuro compartido. Cada vez que maquillaba a una novia, se preguntaba qué se sentiría caminando hasta el altar y pronunciando las palabras que las parejas llevaban dedicándose desde hacía siglos.

Algunas de esas novias seguían acudiendo a ella como clientas, y por el momento, todas seguían casadas. De hecho, parecían extremadamente felices y varias de ellas ya tenían hijos.

–¿Qué harás con tu parte de la villa cuando pidamos la anulación?

Así que Cristiano hablaba en serio cuando decía que no pretendía acostarse con ella. Pero ¿por qué no? Alice sabía que no era tan espectacular como una modelo, pero no era ningún adefesio.

–La venderé. Quiero el dinero, no la propiedad. Además, cuesta mucho mantener una casa tan grande.

Cristiano asintió como si fuera lo que esperaba oír, pero Alice se preguntó hasta qué punto se habría sentido desilusionado al conocer el testamento.

–¿Pensabas que te la iba a dejar solo a ti? –preguntó tras una pausa.

–Sí y no –dijo Cristiano con gesto impenetrable–. Tengo suficientes bienes propios como para no necesitarla, pero no quiero que quede en manos de extraños.

–Debe de estar llena de recuerdos para ti.

–Así es. Tanto buenos como malos –dibujó en el vaho de la copa mientras continuaba hablando–. Durante un tiempo fui muy triste allí, pero mis abuelos consiguieron que volviera a ser feliz, tanto en mi infancia como en mi adolescencia.

Alice se mordisqueó el labio inferior. Era la primera vez que tenían una conversación de cierta intimidad. En el pasado, Cristiano había evitado hablar de su niñez y ella había respetado su silencio. Pero en aquel momento se preguntó si no habría sido un error.

–Debió de ser terrible perder así a tu familia...

–Sí –Cristiano suspiró antes de seguir–. Todavía recuerdo aquel día. Yo me había quedado a dormir con mis abuelos porque estaba enfermo y no pude ir con ellos a una fiesta –sus labios se torcieron en un gesto de tristeza–. Me salvó un virus.

Alice tragó para deshacer el nudo que le atenazaba

la garganta, y volvió a preguntarse por qué no habían hablado de aquello en el pasado. ¿Sentía Cristiano la culpabilidad del superviviente? ¿Se preguntaría por qué se había salvado él y no su hermano? Había crecido sin tener a su lado a las personas más importantes de su vida. Por mucho que sus abuelos hubieran sido unos substitutos maravillosos, no eran sus padres. Cristiano llevaba la marca de la pérdida en cada fibra de su cuerpo.

–Ojalá te hubiera preguntado antes sobre tu infancia... Pero tú no querías hablar de ello y yo no quise insistir.

–Siempre he evitado el tema –dijo él, manteniendo la mirada fija en la copa con el ceño fruncido–. Cuando oí el coche, creí que eran mis padres, pero era la policía. Mi abuelo me dio la noticia...

Su ceño se intensificó y siguió:

–Es extraño, hasta hace unos años no me había planteado cómo debió de sentirse él al saber que su único hijo, su nuera y su nieto mayor habían muerto y tener que darme la noticia con calma y serenidad. Actuó con tanta... fortaleza. Nunca le vi llorar, pero sí le oí a menudo, en su despacho, por la noche, cuando la abuela ya se había acostado. Era un sonido terrible.

Alice alargó la mano y la posó sobre la de él. Cristiano alzó la cabeza. Su mirada estaba llena de una profunda tristeza.

–Lo siento mucho –susurró Alice.

Cristiano retiró la mano y se reclinó en el respaldo de la silla.

–Ha pasado mucho tiempo. Y mis abuelos se aseguraron de que nunca me faltara nada.

Alice dudaba de que por muy maravillosos que

fueran sus abuelos, hubieran conseguido compensar la pérdida de sus padres y de su hermano. Era bien sabido que los niños tenían una increíble entereza, pero debía de haber sido espantoso saber que, por mucho dinero que tuviera, no podía hacer volver a sus seres queridos. ¿Sería ese el motivo de que le obsesionara controlarlo todo, de que fuera tan poco flexible? ¿Habría sido ese el motivo de que siete años atrás insistiera en que se casara con él y no hubiera considerado ninguna otra posibilidad? Probablemente necesitaba encontrar la estabilidad de la que había carecido de pequeño.

Pero entonces ella no lo había amado. ¿O sí? Siempre había evitado preguntárselo. No le gustaba pensar en el pasado. En su opinión, la gente que se arrepentía era porque no tenía seguridad en sí misma para asumir las decisiones que tomaba.

Y ella había elegido su carrera por encima del matrimonio.

No porque no hubiera podido compaginar las dos cosas, sino porque Cristiano no le habría dejado hacerlo. Él quería que se quedara en casa y tener hijos. No se planteaba tener niñeras porque en su opinión la única manera de que una familia funcionara era que la esposa y madre permaneciera a tiempo completo al cargo del hogar.

Había sido un tema sobre el que habían discutido a menudo. Durante algún tiempo, Alice pensó que Cristiano insistía para provocarla, para sacarla de quicio. Pero, cuando le pidió matrimonio inesperadamente, se dio cuenta de que hablaba completamente en serio y de que para él no había una posición intermedia. O el matrimonio o nada.

Y ella había elegido «nada». Una decisión que a los veintiún años, con toda una vida por delante, ni se había cuestionado. Pero que con veintiocho, cuando todas sus amigas estaban emparejadas y algunas con hijos, y con su reloj biológico en marcha, empezaba a preguntarse si «nada» iba a mantenerla satisfecha en el futuro.

Apenas hablaron el resto de la cena. Alice intentó sacar el tema del hotel que Cristiano iba a abrir en Londres, pero él solo parecía interesado en los planes para la boda. Alice se preguntó si había izado el puente levadizo de su vida privada porque había hablado de su infancia más de lo que lo había hecho nunca.

Al salir del restaurante, Cristiano la sorprendió al no sugerir que fueran a tomar una copa, y dejarla en la puerta de su casa sin hacer el menor esfuerzo por alargar la velada.

Ella se quedó mirando las luces de su coche hasta que las perdió de vista mientras intentaba convencerse de que no estaba desilusionada.

Pero, cuando entró y cerró la puerta, encontró su preciosa y espaciosa casa más vacía que nunca.

Capítulo 4

CRISTIANO fijó la cita con el abogado para firmar el acuerdo prenupcial para el día siguiente. Fue a recoger a Alice al salón de belleza, pero tuvo que esperarla porque se retrasó con una clienta. Cuando Alice terminó y salió a la recepción lo encontró hablando animadamente con Meghan.

Esta se volvió con una sonrisa de oreja a oreja.

–¡Enhorabuena! ¡Qué romántico! Ha aparecido en todas las redes sociales. Ya sabía ya que había algo entre vosotros. ¡Y ahora estáis prometidos!

Alice nunca se había considerado una buena actriz, pero en aquel momento pensó que se merecía un Oscar.

Acercándose a Cristiano, le rodeó la cintura con el brazo y dijo:

–Gracias. Somos muy felices.

Él la tomó también por la cintura y sonriéndole, dijo:

–¿No vas a darme un beso de bienvenida?

Alice, que había sentido su mano en la cadera como un hierro al rojo vivo, consiguió sonreír aunque por dentro apretara los dientes.

–Ya sabes que me cuesta ser cariñosa en público.

–¡Por mí no te cortes! –dijo Meghan, entrelazando las manos y mirándolos expectante.

Pero Alice se separó de Cristiano y tomó el bolso que había dejado tras el mostrador.

–Volveré en un par de horas –dijo a Meghan–. He llamado a Suze para que me sustituya el fin de semana mientras estoy de viaje.

–Me alegro mucho por los dos –dijo Meghan–. ¿Dejarás que te maquille para la boda? ¡Por favor, por favor!

–Va a ser una ceremonia sencilla –comentó Alice.

–¿No vas a organizar una fiesta? –dijo Meghan, desilusionada–. ¡Pero si te encantan las bodas! Eres la mejor en el negocio, la favorita de las novias, ¿no quieres ser una de ellas?

–No, quiero una boda discreta –declaró Alice, antes de que su empleada mencionara su colección de revistas de novias–. Además, nos casamos en un mes y no tenemos tiempo. Cristiano tiene mucha prisa, ¿verdad, cariño?

El brillo de los ojos de él habló por sí solo.

–Llevo siete años esperando este momento y no pienso perder ni un minuto.

–Enséñame la sortija –pidió Meghan, suplicante.

Alice la sacó del bolsillo y se la puso.

–Me queda un poco grande, pero...

Meghan se esforzó por disimular su desilusión.

–Es muy... bonito.

–Solo es temporal –dijo Cristiano–. El oficial está siendo diseñado en este mismo momento.

–¡Qué maravilla! –exclamó Meghan con el rostro iluminado–. Alice adora los anillos de compromiso, ¿verdad, Alice?

Alice quiso que se la tragara la tierra. ¿Por qué habría demostrado tanto entusiasmo cuando sus clientas le enseñaban sus anillos? Sus favoritos eran los más clásicos, sencillos y elegantes. Consiguió forzar una sonrisa.

–Claro que me encantan.

Una vez Meghan se retiró para atender a una clienta, Cristiano tomó a Alice por el codo para ir hacia la puerta.

–Una chica muy agradable –comentó.

–Sí –se limitó a decir Alice.

–Te aviso de que probablemente encontremos paparazzi a... Demasiado tarde –Cristiano le puso un brazo alrededor de la cintura en cuanto se vieron rodeados de una nube de cámaras y periodistas–. Deja que me ocupe yo.

Alice se mantuvo en el círculo de su brazo mientras él daba una entrevista sobre su inesperado compromiso. Era un mentiroso consumado. Nadie habría pensado que no estaba enamorado de ella. Mientras seguía hablando, Alice se preguntó cómo reaccionaría su madre, a la que había criticado en numerosas ocasiones por sus múltiples matrimonios. De hecho, ni siquiera había acudido a su última boda.

–Nos gustaría saber qué piensa la novia –dijo una periodista, acercando su grabadora a Alice–. Su reputación como maquilladora de novias está al alza. ¿Piensa ampliar el negocio a Italia o está ansiosa por tener familia?

Alice hizo como que no notaba la presión de los dedos de Cristiano y sonrió de oreja a oreja. ¿Por qué iba a dejar que contestara él como si fuera un ventrílocuo y ella una marioneta?

–Vamos a intentar formar una familia lo antes posible, ¿verdad, cariño?

Cristiano le lanzó una mirada de advertencia antes de decir:

–Yo preferiría tenerte un tiempo para mí solo.

Una vez se quedaron solos, la tomó de la mano y echó a andar.

–¿A qué demonios estás jugando?

Alice le lanzó una mirada que habría cortado un diamante.

–¿Por qué nos hacen unas preguntas tan estúpidas a las mujeres? ¿Por qué siempre se espera que seamos nosotras quienes renunciemos a aquello por lo que hemos luchado?

–Alice, no te estoy pidiendo que seas la madre de mis hijos; solo necesito seis meses de tu vida.

–Me parece increíble que las mujeres tengamos que seguir aguantando tanta tontería. ¿A quién le importa si quiero o no ser madre?

–Supongo que a tu pareja.

Alice lo miró de soslayo antes de preguntar:

–¿Te has planteado... tener hijos... después de que...?

–No.

–Pero antes lo deseabas tanto...

–Pero ya no.

¿Sería ella la responsable de haber hecho añicos sus sueños de tener una familia?

Esa posibilidad entristeció a Alice. Cristiano sería un padre maravilloso. Tenía mucho que ofrecer a un hijo: estabilidad, seguridad, amor. Alice se paró en seco y preguntó a bocajarro:

–¿Cambiaste de idea por mi culpa?

Cristiano la miró por un instante antes de desviar la mirada y continuar caminando con paso decidido.

–Si no nos damos prisa vamos a llegar tarde al abogado.

Alice resopló al tiempo que aceleraba el paso y se

recordaba que lo más importante para ella era su negocio... aunque a veces tuviera la vaga sensación de echar algo de menos.

En el bufete de abogados todo fue tan frío e impersonal que Alice se sintió incómoda, como si estuviera haciendo algo reprochable. ¿Qué había sido del «todo lo mío es tuyo»? Y aunque no tenía sentido que la perturbara, puesto que ella misma quería proteger sus intereses, no pudo evitar preguntarse si, de haberse casado con Cristiano siete años atrás, él también habría insistido en firmar un acuerdo de separación de bienes.

El abogado dio la reunión por concluida tras notificarle que la suma en metálico mencionada en el testamento sería depositada en su cuenta corriente en cuanto el compromiso fuera oficial. Ese capital no tenía que ser devuelto ni aun en el caso de que se echara atrás, lo que tomó a Alice por sorpresa.

Era una suma lo bastante cuantiosa como para servirle de depósito para un nuevo local y pagar parte del crédito. Le resultó aún más desconcertante que Volante Marchetti hubiera incluido esa cláusula. ¿Confiaba tanto en ella como para saber que no era el tipo de mujer capaz de romper el acuerdo en cuanto se hiciera con el dinero?

Cuando salían del bufete, recibió una llamada de su madre.

–Hola, mamá, estaba a punto de llamarte.

–Dime que estoy soñando –dijo su madre lo bastante alto como para que Cristiano la oyera–. ¿Mi hija, la hija que juró no casarse jamás, va a casarse?

Alice se separó de Cristiano y de su sarcástica sonrisa.

–Sí, todo ha sido muy precipitado y...

–¿Ves? –su madre parecía encantada consigo misma–. Te dije que el amor te toma por sorpresa cuando encuentras a la persona adecuada. ¿Cuándo es la boda? Tengo que comprarme algo bonito. ¿Podrás dejarme dinero? Quiero ir elegante. Y, por favor, no invites a tu padre. No ha sido un buen padre. Nos dejó cuando todavía usabas pañales y nunca ha contribuido a tu mantenimiento. No entiendo por qué lo ves de vez en cuando después de tantos años de...

–Mamá, no va a ser una gran boda –la interrumpió Alice, poniendo los ojos en blanco ante la habitual diatriba de su madre contra su padre. Veintiséis años era demasiado tiempo para seguir sintiendo tanta amargura, especialmente cuando su padre tampoco lo había tenido fácil y había tenido un hijo discapacitado con su segunda mujer–. Habrá pocos invitados.

–Está bien. Si te avergüenzas de tu madre, qué le voy a hacer –dijo esta en tono herido–. Ya sé que no soy tan sofisticada como muchas de tus clientas, pero te traje al mundo e hice muchos sacrificios para proporcionarte una buena infancia.

«¿Una buena infancia?». Alice habría querido gritar de frustración. Nada de su infancia había sido bueno. Su madre era el tipo de mujer que no se sentía completa si no estaba con un hombre. Daba lo mismo lo malo que fuera con tal de que cumpliera el papel de macho. Había tenido numerosas parejas, dos de las cuales se convirtieron en maridos. El que siguió al padre de Alice, era un controlador compulsivo del gasto familiar, además de un borracho que usaba los puños cuando no conseguía lo que quería. El tercero, se había insinuado a Alice el mismo día en que se lo presentó su madre, y le había robado dinero del bolso en dos ocasiones. Consecuentemente, Alice se había negado a acudir a la boda. Y desde ese día, su madre se había visto sometida a humillaciones y reducida a la pobreza. Pero, si Alice se atrevía a criticar a su marido, lo defendía como si fuera el «marido del año».

–Mamá, lo siento, pero estoy ocupada. Te llamaré en cuanto vuelva de mis... vacaciones –colgó y metió el móvil en el bolso.

Cristiano la observaba pensativo.

–¿Estás bien?

–Mi madre y yo no estamos de acuerdo en... casi nada.

Alice intentó desfruncir el ceño, pero supo que no podría engañarlo. Resopló.

–¿No te ha pedido que nos presentes?

Alice sonrió con tristeza.

–Con que seas un hombre, satisfaces todos sus requisitos.

Cristiano frunció el ceño.

–Pero eres su única hija. ¿Cómo es posible que no quiera conocer al hombre con el que te vas a casar?

–No es especialmente protectora. Además, ya tengo edad para tomar mis propias decisiones.

–¿Le hablaste de nosotros cuando volviste de Italia?

Alice pensó en lo enfadada que había estado y cómo, con el tiempo, el enfado se había convertido en un dolor más profundo. Pero por entonces, su madre estaba en proceso de separación de su segundo marido, que había encontrado otra pareja de la misma edad que la propia Alice, así que había pasado horas y horas escuchándola lamentarse por la pérdida del que decía ser el amor de su vida y sin el que no sabía cómo podría sobrevivir, blablablá.

Ella había tenido que guardarse para sí sus sentimientos y había canalizado su dolor en ayudar a su madre a superar el divorcio y en montar su negocio. Apenas había tenido tiempo para reflexionar sobre lo que sentía por Cristiano.

Quizá eso había sido un error...

–No tenemos ese tipo de relación. No todas las madres e hijas son amigas.

–¿Y a tu padre? ¿Lo ves?

–Solo desde que se puso en contacto conmigo, hace un par de años. Nos vemos de vez en cuando; casi siempre cuando necesita dinero.

¿Por qué le habría dicho eso?

Cristiano frunció aún más el ceño.

–Confío en que no se lo des.

Alice no quería entrar en los detalles de la complicada relación que mantenía con su padre. Al margen de lo que hubiera hecho o dejado de hacer como padre, Charles Piper era un hombre encantador y divertido, y Alice no podía evitar sentir lástima de él. Era jugador y bebedor, pero en su descargo había que tener en cuenta que había permanecido junto a la que era su esposa desde hacía años, Tania, con la que había tenido un hijo autista; y si le pedía dinero era para proporcionar al pequeño Sam el apoyo y el cuidado que requería.

–Es mi padre. No es mala persona. Solo... desafortunado.

–¿En qué sentido?

Alice sacudió la cabeza y se ajustó el bolso al hombro.

–¿Hemos terminado? Tengo que volver al trabajo.

Cristiano la miró fijamente antes de decir:

–Iré a verte esta noche. Llevaré la cena.

Alice le dirigió una mirada de reproche.

–Te voy a dar una lección. Lo que tienes que decir es: «¿Estás libre esta noche? Me encantaría llevarte la cena». ¿Ves? No es tan difícil.

Cristiano deslizó lentamente la mano por el brazo de Alice. Cuando alcanzó su mano, se la llevó a los labios y Alice observó, hipnotizada, cómo le besaba los nudillos. El roce de su mentón le provocó una sacudida de deseo que se asentó al instante entre sus muslos. El fresco aroma cítrico de su colonia le hizo sentirse levemente embriagada. No podía apartar la mirada de la pura perfección de sus labios, fuertes y firmes, que podían hacerle perder el control en un suspiro.

–¿Estás libre esta noche? Me encantaría llevarte la cena

Alice intentó recuperar el control que empezaba a perder. Sabía que, si aceptaba, estaría accediendo a algo más que a la cena. ¿Cómo iba a ser capaz de resistirse a aquella boca, a aquellas manos, a aquel cuerpo? Hasta el momento, Cristiano no la había besado, pero ¿cuánto tardaría en hacerlo?

–Sí, estoy libre.

«Eres idiota».

Cristiano esbozó una sonrisa y le soltó la mano.

–Ansío que llegue la hora.

Cristiano caminó hasta su hotel dando vueltas a la conversación que acababan de tener. En el pasado,

Alice le había hablado de su infancia, pero él no había sido lo bastante sagaz como para leer entre líneas. Había sentido tanta envidia de que su padre y su madre vivieran que no había dado importancia a lo complicada que era su relación con ambos. Su madre sonaba como una niña caprichosa, y que su padre, después de haber permanecido años desaparecido, le pidiera dinero, era escandaloso.

Pero también era verdad que, por muy mal que lo pasaran, los hijos siempre querían a sus padres. Era algo natural. Los lazos más estrechos se formaban en la infancia y era casi imposible romperlos.

Alice se había negado a casarse. Había expresado, a menudo acaloradamente, su oposición a casarse. Él había creído, quizá inocentemente, que hablaba así porque no quería que la tomara por una cazafortunas. Sabía bien que su riqueza lo convertía en un buen partido para cualquier mujer que buscara seguridad. Toda mujer la necesitaba si pensaba tener hijos.

Pero Alice decía que no quería hijos. Eso tampoco se lo había tomado él muy en serio, convencido de que conseguiría hacerle cambiar de idea.

Y, cuando lo dejó, había sido demasiado orgulloso como para seguirla. Orgulloso y lleno de ira. Había creído que Alice volvería a él, gateando. También en eso se había equivocado. Estaba seguro de que al volver a su casa, reflexionaría y cambiaría de idea. Pero lo único que cambió fue su número de teléfono.

Eso había apagado cualquier atisbo de esperanza en él.

Pero en aquel momento se preguntaba qué había detrás de la animadversión de Alice hacia el matrimonio. Muchos hijos de padres divorciados tenían matrimonios felices. ¿Su actitud se debía a que quería dedicarse exclusivamente a su carrera? Tener una carrera profesional no significaba renunciar a todo lo demás. ¿Seguiría pensando lo mismo que en el pasado o habría cambiado parcialmente de idea?

Su simpática empleada le había dicho que le encantaban las bodas. Se había hecho un nombre como la profesional a la que acudían las novias para maquillarse. ¿Significaba eso que en el fondo soñaba con una boda tradicional? Sin embargo, llevaba años sin salir con nadie. También eso se lo había contado su locuaz empleada. Alice vivía para el trabajo. No tenía vida social y siempre buscaba excusas cuando sus amigos intentaban presentarle a alguien.

Cristiano no quería admitir hasta qué punto esa noticia le alegraba. Aunque también había que tener en cuenta que era una mujer con una personalidad fuerte, volátil y con una lengua viperina, y pocos hombres se atrevían con alguien así. Pero él sabía que detrás de esa fachada, había una mujer con un gran corazón. Casi siempre.

De hecho, una de las cosas que más le habían gustado de ella era su lengua afilada, que no le diera la razón en todo. Haber perdido a sus padres tan pequeño había hecho que quienes lo rodeaban evitaran contrariarlo. Estaba tan acostumbrado a salirse con la suya que conocer a Alice había sido como una bocanada de aire fresco. Ella, al contrario que los demás, jamás cedía si creía tener la razón.

¿Habría cambiado? ¿Tendría una actitud más relajada respecto al matrimonio y la maternidad?

Era su problema.

Él sí que había cambiado. La vida familiar era para

aquellos que podían arriesgarse a perderlo todo de la noche a la mañana. Él ya había perdido una familia.

Las maquinaciones de su abuela significaban que tendría que pasar por el aro como un perrito de circo, pero eso era todo. Había pensado en celebrar la boda en un juzgado, pero finalmente había decidido que, puesto que no iba a volver a casarse, lo haría a la manera tradicional. Además, la *nonna* se revolvería en su tumba si no intercambiaba sus votos delante de un sacerdote.

«Pero ya no amas a Alice».

Cristiano acalló la voz de su conciencia. Durante años se había dicho que en realidad no la había amado nunca, que solo había sido una enfebrecida pasión que había anulado su sentido común.

Pero ya no era un joven idealista, cegado por la lascivia. Era mayor, más sabio, más duro. Podía controlar su deseo y sus emociones.

Una boda sencilla, con pocos invitados, en una iglesia era lo adecuado. Tenía que evitar que Alice malinterpretara sus motivaciones. Así evitaría que la ruptura se complicara.

Porque la ruptura iba a producirse.

Capítulo 5

ALICE recogió la casa como si Cristiano fuera a inspeccionarla. Luego se dedicó a sí misma. El dicho «en casa del herrero...», se cumplía para las esteticistas. ¿Cuándo se había depilado por última vez? Ni siquiera se acordaba. Hacía tanto tiempo desde la última vez que había tenido algo de actividad que ni lo recordaba.

Se puso perfume en las muñecas y en la nuca. Tal vez era el momento de preguntarse por qué estaba haciendo tantos esfuerzos.

«No vas a acostarte con él».

Ni hablar. Se controlaría. Cristiano no era tan irresistible

¿O sí?

Mientras no lo besara estaría a salvo. Besarlo sería peligroso porque sus labios tenían el poder de hacer que la cabeza le diera vueltas como los neumáticos de un coche en una mancha de aceite.

Sonó el timbre de la puerta y Alice, levantándose de un salto, se alisó los vaqueros ajustados. Había elegido esa prenda porque no era fácil quitárselos, y confiaba en que le recordaran que debía mantener el control.

«¿Y por qué te has puesto tu mejor ropa interior?».

Alice empezaba a irritarse con su conciencia. Tenía todo el derecho a ponerse su mejor conjunto de lencería sin darle ninguna interpretación. Abrió la puerta y estuvo a punto de desmayarse al ver a Cristiano con unos vaqueros oscuros y una camisa blanca con las mangas enrolladas que dejaban ver sus bronceados antebrazos. Llevaba el cabello húmedo, como si acabara de ducharse, y estaba recién afeitado.

–Por lo menos llegas puntual –dijo.

Cristiano deslizó la mirada lentamente por ella, hasta que Alice pensó que su ropa iba a convertirse en un montón de cenizas a sus pies.

–Estás preciosa.

Alice miró las manos de Cristiano y dijo:

–Creía que ibas a traer la cena.

–Llegará enseguida.

Alice se echó a un lado, sujetando la puerta, aspirando a su paso el delicioso aroma de la colonia de Cristiano. Cerró la puerta y se cruzó de brazos para contener el impulso de tocarlo.

–He mirado mi cuenta. Ya he recibido el dinero –anunció.

–Me alegra saber que el abogado cumple con su trabajo.

Alice se retiró un mechón de cabello del rostro.

–¿Tienes idea de por qué tu abuela incluyó esa cláusula? Podría romper el compromiso ahora mismo.

–Podrías, pero no vas a hacerlo.

Alice frunció el ceño.

–¿Por qué estás tan seguro?

Cristiano estaba tan cerca que Alice podía sentir la magnética atracción de su cuerpo.

–Porque no eres el tipo de mujer capaz de quedarse con el dinero de una anciana sin cumplir el resto de sus deseos.

–Pero solo vi a tu abuela un par de veces. Nos caímos bien, pero no tanto como para que me incluyera en su testamento.

–Puede ser, pero está claro que le gustaste –Cristiano hizo una breve pausa y añadió–: Debió de ver algo en ti. Una cualidad especial.

–¿La cabezonería?

Cristiano se rio.

–Eso... y otras cosas.

A Alice le habría gustado saber a qué se refería.

–¿Quieres beber algo? Tengo vino y refrescos, o...

–Más tarde –Cristiano se sacó una cajita de joyería del bolsillo y se la tendió a la vez que la abría–: Para ti.

Dentro había un maravilloso diamante con un engarce clásico.

Alice lo tomó y lo observó. La luz arrancaba destellos a la joya. Era sencillo y elegante. Se lo puso. Le quedaba en el dedo como si se lo hubieran hecho a medida.

–Es...

–Si dices «bonito», no me hago responsable de mis actos.

Alice sonrió.

–Es perfecto, eso es lo que es. Exactamente lo que yo habría elegido.

Cristiano frunció el ceño.

–¿Habrías preferido elegirlo tú misma?

Alice nunca lo había visto tan inseguro.

–De haber sido una situación normal, probablemente. Pero no lo es. Además, te lo devolveré cuando todo esto acabe.

–No.

–Pero es...

–Es tuyo, Alice. Puedes hacer con él lo que quieras –Cristiano exhaló–. Lo siento, debería haberte preguntado qué querías. El anterior era tan... inapropiado. No sé cómo no me di cuenta.

Alice frunció los labios. Era la primera vez que oía a Cristiano admitir que había cometido un error.

–Tienes mala suerte al haber elegido a una mujer tan independiente que no le gusta que su hombre elija el anillo.

–Pero no me equivoqué solo en el anillo, ¿verdad?

Alice no pudo sostener la intensidad de su mirada. Observó el anillo, girando la mano para que la luz se reflejara en sus distintas caras.

–Lo cierto es que mi madre tiene tres, todos horrorosos, pero siempre fingía que le encantaban. Y yo no lo entendía –Alice volvió la mirada hacia Cristiano–. ¿No es más lógico ser sincero con quien vas a pasar el resto de tu vida?

Cristiano sonrió.

–Esa era otra característica que le gustaba de ti a mi abuela: que expresaras tus opiniones sin filtro, sin que te importara lo que pensaran los demás.

Alice no pudo evitar encogerse al recordar lo bocazas que era por aquel entonces. Solía expresar opiniones contundentes sobre temas de los que, en perspectiva, no tenía ni idea. A menudo se preguntaba a cuánta gente habría ofendido, o incluso herido, con sus palabras. En esos tiempos consideraba la noción de ceder o rectificar como una muestra de debilidad, como un defecto. Pero en el presente... se cuestionaba si no era una actitud más madura estar dispuesta a escuchar y comprender, en lugar de querer decir la última palabra sobre todo.

–Me sorprende que tu abuela se acordara de mí. Estuvimos solo seis semanas juntos. Desde entonces, ha habido muchas mujeres en tu vida. ¿O es que les ha dejado a todas...?

–No, solo a ti.

Alice habría querido preguntarle si se había enamorado de alguna de ellas, pero no quería que pensara que estaba celosa. Aunque lo estuviera. No le parecía justo que hubiera rehecho su vida tan pronto cuando se suponía que ella era su alma gemela. ¿Y si hubiera cambiado de idea durante las semanas siguientes a su ruptura? Para entonces, él ya estaba con otra.

–Sé en lo que estás pensando –dijo él–: que te reemplacé enseguida, ¿a que sí?

Alice no era consciente de que su rostro fuera un libro abierto. O quizá Cristiano le leía el pensamiento. Esa idea le asustó.

–No has ocultado tu vida sentimental. Ha aparecido en toda la prensa.

Cristiano seguía mirándola fijamente.

–¿Y eso te ha incomodado?

Alice frunció el ceño.

–¿Por qué iba a incomodarme? Lo cierto es que me compraste un anillo carísimo y me dijiste que era la única mujer para ti, pero en un par de semanas habías encontrado sustituta.

–¿Cambiaste de opinión?

–No, claro que no –por cómo arqueó las cejas Cristiano, Alice supo que había contestado demasiado precipitadamente–. Solo me molestó que no...

–¿Que no qué?

Alice resopló.

–Que no me echaras de menos.

Cristiano se aproximó y posó las manos sobre sus hombros.

–¿Crees que no te eché de menos?

Alice no podía apartar la mirada de sus ojos. El calor de sus manos atravesaba su ropa, quemándole la piel, haciéndola consciente de la proximidad de su varonil cuerpo, de cómo la sangre circulaba por él tan aceleradamente como por ella. Posó las manos en el pecho de Cristiano, palpando su calor y su fuerza.

Anhelándolo.

El rítmico latir de su corazón bajo las palmas de sus manos reverberó por todo su cuerpo, haciendo resonar un eco erótico en la profundidad de su ser. Arrugó la tela de su camisa entre los dedos, cruzó la mínima distancia que separaba sus cuerpos, sintiendo una descarga eléctrica al notar el íntimo contacto.

¿Qué más daba que fuera ella la primera en ceder? Era lo que quería. Lo que querían los dos. Había echado tanto de menos tocarlo. Que la abrazaran. Que la desearan.

Se puso de puntillas y rozó levemente con los labios la comisura de los de Cristiano, pero él no hizo ademán de devolverle el beso. ¿Intentaba demostrar que era más fuerte que ella, que podía resistirse? Alice sonrió para sí. Sabía cómo doblegarlo. Recorrió su labio inferior con la lengua, lamiéndoselo como una gata para recordarle que podía hacer que le temblaran las rodillas con su felina habilidad.

Cristiano puso las manos en sus hombros y la atrajo hacia sí para hacerle sentir su pulsante erección contra el vientre.

–¿No sabes que no conviene jugar con fuego?

Alice atizó el fuego girando la pelvis en un movimiento circular.

–Me deseas.

–No lo he negado.

–Pero has dicho que nuestro matrimonio no se...

–Para provocarte –la interrumpió él, mirándola con picardía.

¿Estaba jugando con ella? ¿Solo pretendía demostrarle lo débil que era? Alice frunció los labios y trató de retroceder, pero Cristiano la sujetó por las caderas.

–¡Suéltame!

–¿Es eso lo que quieres?

–Sí –dijo ella con firmeza, al tiempo que su cuerpo la contradecía.

–Muy bien –Cristiano dejó caer las manos y con una sonrisa burlona, añadió–. Si cambias de idea, basta con que me lo digas.

Alice apretó los dientes con tanta fuerza que pensó que se le iban a partir. Acababa de herir su orgullo. La culpa la tenía ella, por haberle dado ventaja. Cristiano le había hecho creer que había cambiado; incluso había admitido, aunque de forma velada, que en el pasado había elegido mal el anillo. Pero, en el fondo, solo quería demostrarle que ya no significaba nada para él, que no la había echado ni un ápice de menos. Quizá seguía deseándola, pero eso era todo lo que quería de ella: sexo.

Siete años atrás le había ofrecido su corazón, su alma, su amor. En el presente, solo un sórdido affaire para pasar el rato hasta que pudiera dar por terminada la relación al cumplirse las condiciones del testamento de su abuela. ¿Cómo iba a aceptar algo tan diferente a lo que habían compartido en el pasado?

«Porque todavía lo deseas».

«No hasta ese punto».

«¿Estás segura?».

Alice ya no estaba segura de casi nada. El deseo que Cristiano despertaba en ella se negaba a desaparecer por más que se esforzara en conseguirlo. Era como brasas de carbón dentro de su cuerpo que esperaran convertirse en llamas. ¿Podía arriesgarse a tener un affaire con él sin temor a las consecuencias? Si los hombres podían separar los sentimientos del sexo, ¿por qué no podía hacerlo ella?

–No voy a dejar que juegues conmigo, Cristiano.

–Creía que los juegos eran tu especialidad, *cara.*

–No permitiré que ganes. Crees que puedes conseguir que te suplique, pero te equivocas. Yo no te deseo ni la mitad de lo que tú me deseas a mí.

Cristiano la miró con sarcasmo.

–Solo tenemos una manera de comprobar esa teoría, ¿quieres que la pongamos en práctica?

Alice se cruzó de brazos.

–Si te acercas un paso más, te muerdo.

–¿Me lo prometes? –preguntó él con una sonrisa burlona que electrificó a Alice.

Llamaron a la puerta y Cristiano pasó a su lado para ir a abrir.

–Debe de ser la cena.

Tras recoger la cena que había encargado en un restaurante próximo, Cristiano la llevó al comedor, en el que Alice había puesto la mesa. Sabía que estaba enfadada porque no había respondido a su beso. La deseaba con locura; su cuerpo ansiaba estrecharla y besarla hasta hacerle perder el sentido, pero eso debía suceder en sus términos, no en los de ella. ¿A qué estaba jugando? ¿A provocarlo con un par de besos para demostrarle que no podía resistirse a ella? ¿A demostrar que la había echado de menos?

Claro que la había echado de menos. Tanto que había tardado meses en acostarse con otra mujer. Las mujeres con las que se le había visto en público después de su ruptura, no habían sido más que citas circunstanciales con las que solo compartía una cena o un espectáculo. Le había resultado imposible no compararlas con Alice. Siempre encontraba defectos en su aspecto, o en su estilo o en su conversación, o ausencia de ella. Incluso cuando empezó a tener relaciones, sentía que carecían de algo. Pero siempre lo había achacado a la diferencia que había entre tener una relación superficial o una en la que hubiera una profunda implicación.

Pero ¿había conocido del todo a Alice en el pasado? Ni siquiera había acertado con el anillo, aunque, dado que para ella el matrimonio solo era una variante moderna de esclavitud, ningún anillo habría sido el adecuado.

Y su propia actitud tampoco había ayudado. Habían tenido que pasar unos cuantos años para que entendiera algunas cosas. Su visión conservadora del matrimonio había sufrido cambios significativos. Ya no veía el papel de la mujer en términos tan extremos. Comprendía que debían tener las mismas oportunidades que los hombres para alcanzar su máximo potencial profesional. Cuando era más joven, él ni siquiera se había cuestionado que pudiera compaginar la vida profesional y la familia; sin embargo, para una mujer era mucho más complicado. Para ellas era mucho más difícil alcanzar el equilibrio.

Pero por más que su actitud hubiera cambiado, no tenía claro si a Alice le había sucedido lo mismo. Parecía incluso más atada a su trabajo; incluso tenía planes de expansión. Según Meghan, apenas tenía vida social. ¿Por qué? Alice estaba como mujer en la plenitud de la vida, pero vivía sola en una casa preciosa que parecía sacada de una revista de decoración.

¿Era feliz?

Cristiano no creía que lo fuera, pero sabía que su juicio estaba contaminado por la rabia que todavía sentía por que lo hubiera rechazado. O tal vez porque parecía serlo, mientras que él no lo era. De hecho, había dejado de serlo el día que ella acabó la relación. ¿Qué había hecho mal? Estaba seguro de que Alice lo amaba, pero eso era lo que le decía su cuerpo, no su corazón. Había sido la amante más generosa y más excitante que había tenido en su vida e, ingenuamente, había estado convencido de que ella aceptaría entusiasmada su proposición.

«¿Ingenuamente o por pura arrogancia?».

No había esperado que lo rechazara porque por aquel entonces era quien tenía dinero y estatus. Era el Soltero de Oro. Había actuado precipitadamente. Había comprado el anillo de camino al restaurante donde la había citado para declararse. Había pasado por una joyería y lo había elegido irreflexivamente, porque se suponía que era «lo que había que hacer».

Con el tiempo lo sucedido le había enseñado a no dejarse llevar por los impulsos. Había estado tan concentrado en sus propios sueños de futuro, en asegurarse el compromiso de Alice, que no había pensado en ella. ¿Habría reaccionado de otra manera si hubiera esperado a estar en casa para declararse o si le hubiera dado más tiempo? ¿Se habría sentido menos presionada?

«¿No estás haciendo lo mismo ahora?».

Cristiano hizo una mueca al oír la voz de su conciencia. Era verdad que había vuelto a presionarla y a obligarla a someterse a su voluntad. Él tenía un objetivo y solo veía el conjunto en lugar de examinar los detalles.

Pero lo cierto era que no podía permitir que las acciones pasaran a su primo, y debía hacer todo lo posible para conservar la villa. Tampoco él tenía alternativa. O se casaba con Alice o perdía un tercio de la empresa familiar y la villa que consideraba su hogar.

Y no estaba dispuesto a pasar por eso.

Capítulo 6

DESPUÉS de aquella noche, Alice no volvió a ver a Cristiano hasta el viernes, cuando la recogió para ir al aeropuerto para tomar el vuelo a Italia. El estrés de tener que encontrar una sustituta para reemplazar a la esteticista que solía sustituirla porque había tenido un problema de última hora, además de ocuparse de sus clientas y terminar a tiempo, había convertido el día en una carrera de obstáculos. Ni siquiera había tenido tiempo ni para retocarse el maquillaje y cepillarse el pelo. Y no tenía ni idea de lo que había metido en la maleta porque no había oído el despertador y, para no llegar tarde al trabajo, había tenido que hacerla precipitadamente. ¿Cómo osaba Cristiano estar tan fresco y oler tan maravillosamente? ¿No podía trabajar y sudar como el resto de la gente?

Una vez se sentaron en el avión, Alice se apoyó en el reposacabezas y suspiró.

–No te imaginas el día que he tenido.

Cristiano posó la mano sobre la de ella, que descansaba en el brazo del asiento.

–¿Quieres contármelo?

Alice miró la mano de Cristiano. Su piel resultaba tan dorada y el vello que la salpicaba, tan masculino comparado con la suavidad y palidez de su piel...

Cristiano cerró los dedos en torno a su mano, recordándole cómo su fuerte cuerpo solía cobijarla en el pasado. Con el pulgar, empezó a acariciarle lentamente el dorso de la mano en un ritmo hipnótico que le aceleró la sangre a Alice.

–Primero, no he oído el despertador. Luego, he tenido un problema con el personal porque Suze, la chica que iba a ocuparse de mis clientas el sábado, tiene un virus estomacal. La pobre estaba dispuesta a ir a trabajar, pero no puedo exponer a mis clientas a un contagio.

Alice paró para tomar aire y vio que Cristiano la miraba fijamente.

–¿Te estoy aburriendo?

Él esbozó una sonrisa.

–En absoluto. Continúa.

A Alice le costó recordar qué estaba diciendo. Solo podía pensar en lo deliciosa que resultaba su boca cuando sonreía como lo hacía en aquel instante, como si realmente lo fascinara. Sus ojos, intensamente oscuros y con unas pestañas por las que sus clientas habrían pagado una fortuna, también le derretían el cerebro.

–Esto... además me he ocupado de mis clientas y como dos han llegado tarde, me han retrasado. Encima, la última necesitaba hablar porque a su marido le han diagnosticado un cáncer y no he sido capaz de decirle que tenía prisa y que se fuera.

–Claro.

Alice dejó escapar un prolongado suspiro.

–Las esteticistas, como las peluqueras, ejercemos de psicólogas.

Cristiano le giró la mano y le acarició la palma en

lentos movimientos que le consiguieron relajar los músculos de la espalda a Alice como si le hubiera aplicado corrientes de calor.

–Pero te gusta tu trabajo, ¿no?

Alice no titubeó.

–Lo adoro. Me encanta contribuir a que las mujeres, y los hombres, que tengo unos cuantos, se sientan mejor. Sobre todo me gustan los tratamientos de piel. He ayudado a muchas clientas que tenían problemas dermatológicos.

–¿Y cómo empezaste a dedicarte a las bodas?

Alice no recordaba haber hablado tanto de su trabajo más que con sus empleadas y con un par de amigas. Su madre nunca manifestaba el menor interés; siempre estaba demasiado ocupada con sus propios problemas.

–Por casualidad. Hace unos cinco años maquillé a una novia y a su dama de honor; ellas me recomendaron a sus amigas, y así empezó todo. En plena era digital ha triunfado el boca a boca.

Cristiano continuó acariciándole la zona interior de la muñeca y ella se fue relajando más y más en el asiento.

–Háblame de tus planes de expansión.

–Bueno... el salón de Chelsea se queda pequeño para dedicarme a las bodas y ocuparme además de mis clientas habituales –dijo Alice–. Tengo pensado crear un salón de belleza específico para bodas, que incluya un estudio fotográfico. Inicialmente, tendré que ir de un salón a otro, pero, con el tiempo, confío en poder concentrarme en el negocio de las bodas.

–¿Porque te gustan especialmente?

Alice le dedicó una mirada reprobadora.

–Por el dinero. Las bodas se pagan mucho mejor.

–¿No lo encuentras algo... contradictorio?

–¿Querer hacer dinero?

Cristiano sonrió con sorna.

–Sabes a lo que me refiero, Alice.

Aliiice.

¿Cómo iba a poder mantenerse cuerda cuando le oía decir su nombre de aquella manera?

Alice se encogió de hombros.

–Que maquille a muchas novias no significa que quiera ser una de ellas. Tú eres dueño de hoteles, ¿quiere eso decir que preferirías vivir en uno?

Cristiano mantuvo la mirada clavada en la de ella.

–No todos los matrimonios son una tortura. Cuando funcionan, pueden ser maravillosos.

Alice enarcó una ceja.

–Si eso es lo que piensas, ¿por qué no te has casado todavía?

Cristiano pasó el dedo por el diamante de su dedo y sin apartar la mirada de los ojos de Alice, dijo:

–Si todo sale bien, lo haré pronto.

Alice disimuló una leve desilusión.

–Pero nuestro matrimonio no va a ser normal.

–Podría serlo si tú quisieras.

Alice frunció el ceño.

–¿Te refieres a que podría ser permanente?

–No. Pero podríamos pasarlo bien mientras dure.

Alice frunció los labios, moviéndolos de un lado a otro.

–Si accediera a pasarlo bien contigo, ¿tú seguirías pasándolo bien con otra gente?

Cristiano sonrió.

–Si no me falla la memoria, dudo que me quedara energía.

Alice le sostuvo la mirada prolongadamente. ¿Era una insensatez aceptar un affaire con Cristiano mientras durara su matrimonio? ¿Podía confiar en que él le fuera fiel?

Extrañamente, estaba segura de que sí. Por mucho que hubiera cambiado, no lo creía capaz de engañar a su pareja. No era ese tipo de hombre.

–Lo cierto es que... hace tanto que no me lo paso bien que puede que te desilusione mi... contribución al... juego –pensó que era la palabra más adecuada, dadas las circunstancias.

Cristiano se llevó su mano a los labios y le besó las puntas de los dedos sin apartar la mirada de sus ojos.

–Puedo ponerte al día con una sesión.

Alice no lo dudaba. No pudo contener un estremecimiento.

–¿Y cuándo propones que empecemos a... pasarlo bien?

Cristiano deslizó la mano por detrás de su nuca y la acercó hacia sí hasta que sus labios prácticamente se rozaron.

–Empezaría ahora mismo, pero no quiero perturbar a los demás pasajeros con tus gemidos de placer.

Alice mantuvo la mirada en sus sonrientes labios, se le aceleró el corazón y el cuerpo le tembló en anticipación de lo que vendría después. Solo Cristiano podía hacerle sollozar de placer. Sollozar y gritar y estremecerse de la cabeza a los pies. ¿Cómo podía haberse resistido a él tanto tiempo? Era una locura seguir negándose el delirio que le proporcionaban sus caricias. Qué más daba que fuera por un tiempo limitado. Llevaba siete años añorando hacer el amor con él. ¿Por qué no disfrutar mientras durara?

–¿No quieres que vayamos a uno de los baños?

–No. Voy a hacer que esperes hasta que lleguemos a casa.

Alice le recorrió el labio superior con un dedo.

–Podría tomar la iniciativa –dijo en tono sugerente.

Con ojos chispeantes, Cristiano enredó los dedos en su cabello y le dio un leve tirón que le provocó una corriente eléctrica en la columna vertebral.

–Espero que lo cumplas.

Alice salvó la distancia que separaba sus labios y rozó los de él con la delicadeza de una mariposa posándose sobre una flor. Se echó hacia atrás, pero los de Cristiano, que estaban más secos que los de ella, se quedaron pegados a su suave piel como si no la quisieran dejar marchar. Dejando escapar un ronco gemido, Cristiano volvió a atrapar sus labios, dándole un beso devorador que hizo que Alice se retorciera en su interior. Su lengua se adentró en la boca de ella profundamente, reclamando la suya en una danza sensual que hizo que el centro de femineidad de Alice se contrajera de deseo. El beso se hizo más y más profundo, arrancando de ella una respuesta que no había sentido en toda su vida. Todo su cuerpo temblaba; su piel ardía por sentir sus manos; sus pechos querían desbordarse del sujetador como si quisieran romper la barrera de encaje y entregarse a sus manos, sentir su lengua, la succión de sus labios, el sexy mordisqueo de sus dientes...

Cristiano cambió de postura, haciéndole ladear la cabeza para explorar cada rincón de su boca, raspando con su mentón la sensible piel de Alice como si fuera un papel de lija de grano fino.

En cierta forma, saber que estaban en un avión, rodeados de gente, y que no podían ir más lejos, intensificó la pasión del beso. En el pasado, todos sus besos conducían al sexo. Era como si sus labios no pudieran tocarse sin que prendiera en sus cuerpos un deseo incontenible. En la calle no solían besarse porque a ella no le gustaban las muestras de afecto públicas. Y seguían sin gustarle. Por eso era aún más asombroso que se estuviera entregando tan ciegamente a aquel beso cuando estaban rodeados de trescientos pasajeros.

Pero cuanto más se prolongaba aquel enfebrecido instante, menos pensaba en su alrededor. Hundió los dedos en el cabello de Cristiano, apretándose contra su boca codiciosamente, como si no pudiera vivir sin ella. Un gemido brotó de su garganta como respuesta al creciente deseo que la devoraba. Nadie la había besado así ni le había hecho sentir aquella locura, aquel anhelo enfervorecido que la poseía por dentro y hacía que cada centímetro de su cuerpo clamara por ser liberado.

Finalmente, Cristiano se echó hacia atrás. Manteniendo el rostro de Alice entre las manos, le pasó el pulgar por los labios hinchados por el beso y luego por una marca en la barbilla.

–Te he quemado la piel.

Alice le recorrió el perfil de los labios con un dedo.

–Tengo una oferta especial de otoño para depilar labios y mentón a la cera.

Cristiano sonrió.

–Gracias, pero paso.

Alice deslizó el dedo por el puente de su nariz hasta su labio superior. Cristiano se lo atrapó entre los labios y se lo succionó, a la vez que le lamía la parte interior sin dejar de mirarla a los ojos con una expresión de deseo que la hizo estremecer.

Alice pensó que era imposible desear a un hombre más de lo que ella deseaba a Cristiano. ¿Sería por eso por lo que inicialmente se había resistido a casarse con él, porque era el único que podía conseguir que olvidara su promesa de jamás permitir que un hombre la esclavizara, de jamás anhelar tanto a alguien como para otorgarle el poder de destruirla? Cristiano conseguía hacerle perder el control. Bastaba con que la mirara para que colapsara como un castillo de naipes.

Cristiano entrelazó los dedos con los de ella.

–Estaba pensando que, hace siete años, todos nuestros besos acababan en sexo.

Alice se humedeció los labios. Sabían a él.

–Yo estaba pensando lo mismo.

Cristiano la miró fijamente. Luego frunció el ceño y dijo:

–En cambio no recuerdo que habláramos demasiado.

Alice lo miró con sorna.

–Yo más bien recuerdo que yo hablaba y tú no escuchabas.

Cristiano sonrió como si quisiera disculparse.

–No nos escuchábamos el uno al otro –dejó escapar un suspiro y mirando sus manos entrelazadas, añadió–: Pero de eso hace mucho tiempo, ¿verdad?

Alice se acomodó en el asiento y apoyó la cabeza en su hombro.

–Muchísimo.

«Tanto que ahora me siento como si fuera otra persona».

Capítulo 7

LLEGARON a la casa de Cristiano en Milán cerca de la medianoche. Cruzar el umbral de la puerta fue para Alice como viajar al pasado.

Deslizó la mirada por el espectacular vestíbulo, la gran escalera que conducía al piso superior, los candelabros y estatuas de bronce que harían las delicias de cualquier coleccionista de arte. Había algunos cambios en la decoración y en la pintura, pero seguía siendo la casa de Cristiano, el hogar en el que había pasado su infancia hasta la trágica muerte de su familia.

Y allí había pasado ella las seis semanas más felices de su vida.

Cristiano le tomó la mano y la atrajo hacia sí.

–¿Te estás arrepintiendo?

Alice le rodeó el cuello con los brazos.

–No. Después de todo, solo es sexo.

Cristiano la miró fijamente.

–¿No te preocupa que los límites se difuminen?

«¿Si estoy preocupada? Desde luego».

–No –dijo Alice–. Pero se ve que a ti sí. ¿Qué temes? ¿Volver a enamorarte de mí?

Los ojos de Cristiano adquirieron el brillo del acero.

–Ya te he dicho que no estaba enamorado de ti

–soltó a Alice y se separó de ella–. Voy por las maletas. Ve subiendo. Estaré contigo enseguida.

Alice se quedó paralizada. ¿Tenía que sonar tan... aséptico? Cristiano le estaba haciendo sentir como si acabara de conocerla en un bar y la llevara a casa para un rápido revolcón. ¿Dónde estaba el hombre que había subido la escalera con ella en brazos; el que la había tratado como a una princesa y no como a una prostituta?

–¿Hay alguien del personal?

–No, les he dado la noche libre.

Alice era consciente de que Cristiano estaba molesto con ella.

–¿Por qué no subimos juntos?

–Ya sabes dónde está mi dormitorio.

Alice alzó la barbilla.

–Ahora lo entiendo. Quieres jugar a que eres mi chulo. Vale, si eso es lo que quieres...

Se quitó el abrigo y lo dejó caer al suelo. Luego hizo lo mismo con el vestido y se quedó en ropa interior y tacones.

La mirada de Cristiano se veló. Apretó los labios.

–No hagas eso.

–¿El qué? –preguntó Alice, quitándose el sujetador y tirándolo al suelo–. Lo estoy pasando bien, ¿tú no?

Cristiano fue hacia ella y sujetándola con firmeza por el brazo, preguntó:

–¿Es que siempre tienes que buscar pelea?

Alice lo miró con ojos de rabia.

–Pienso buscar pelea hasta que me trates como a una igual.

–Pues empieza a comportarte como una adulta y no como una niña.

Alice pegó sus senos contra su torso.

–¿Esto te parece lo bastante adulto? –deslizó la mano entre sus cuerpos para tocar el sexo de Cristiano–. ¿Y esto?

Los labios de él atraparon los de Alice como si acabara de romperse una correa que lo mantuviera atado. No fue un beso de ternura, de exploración y reencuentro, sino de desenfrenada pasión.

Alice se lo devolvió con el mismo frenesí; sus lenguas se entrelazaron como si se retaran, como si se enfrentaran en un combate que nubló los sentidos de Alice. Tiró de la ropa de Cristiano, arrancándole los botones de la camisa en tal estado de ceguera que apenas percibió el sonido que hicieron al caer al suelo de mármol. Luego le soltó el cinturón y, sacándolo de las trabillas, lo tiró al suelo.

Cristiano le bajó las bragas hasta los muslos y acarició su cálida humedad con destreza. El placer asaltó a Alice como si hubiera caído en una emboscada y la lanzaran a un remolino de aguas bravas en el que creyó ahogarse.

Pero no iba a dejar que solo él actuara. Bajó la cremallera de los pantalones de Cristiano y lo tomó en su mano, deslizándola arriba y abajo a la vez que seguía besándolo y, con la lengua, le adelantaba el asalto al que pensaba someter a otras partes de su cuerpo. Cristiano dejó escapar un gemido, un gruñido primario que reverberó en el interior de Alice.

Maldiciendo, él le apartó la mano y sin dejar de besarla, la fue empujando hacia atrás hasta que su espalda tocó la pared más próxima. Entonces él se quitó los pantalones y los zapatos precipitadamente mientras Alice terminaba de quitarse las bragas y lanzaba los zapatos a un lado de una patada. Cristiano la tomó por las caderas y le hizo sentir su grado de excitación. Alice volvió a tomarlo en su mano al tiempo que lo miraba a los ojos. No había nada que le gustara más que ver cómo las oleadas de placer contorsionaban su rostro. Eran las únicas ocasiones en las que le veía perder el control.

–Espera –dijo él–. Necesito un preservativo.

Alice habría abandonado la cautela, y hasta llegó a preguntarse qué sentiría si se quedara embarazada de él, pero dadas las circunstancias, habría sido una irresponsabilidad.

Cristiano volvió a ella, apoyó una mano en la pared y la besó en el cuello antes de ir bajando hacia sus senos. Tras dibujar con su lengua círculos en torno a uno de sus pezones, se lo succionó con una sensualidad que dejó a Alice al borde del abismo.

Luego Cristiano volvió a sus labios, besándola a lo largo del recorrido, y ella se aferró a él, exigiendo la liberación que ansiaba. Él le levantó una pierna y la penetró con un movimiento decidido que le arrancó un grito ahogado. ¡Hacía tanto tiempo...!

Cristiano imprimió un ritmo rápido a sus movimientos, como si fuera consciente del agónico anhelo que la recorría. Se adentró en su húmeda cueva con determinación, con la respiración tan entrecortada como la de ella. Alice se asió a sus hombros, clavándole los dedos en los músculos a medida que la alcanzaba una ola devastadora que la lanzó a un acelerado remolino que recorrió y sacudió todo su cuerpo. Y a la que sucedió otra y otra, hasta que se quedó laxa, exhausta y temblorosa con cada una de las réplicas del clímax.

Cristiano continuó meciéndose en su interior, hasta que se vació en ella con un profundo gemido; su aliento, caliente y acelerado, le acariciaba el cuello.

Alice deslizó las manos por sus brazos.

–No has perdido el toque mágico. Supongo que has practicado mucho.

Cristiano se separó de ella y se quitó el preservativo. Luego tomó los pantalones y se los puso.

–No voy a disculparme por tener una vida.

Alice pasó a su lado, se agachó para recoger la camisa de Cristiano y se la puso.

–¿Insinúas que yo no la tengo?

Cristiano la miró fijamente.

–No has salido con nadie desde hace un año. ¿Por qué?

Alice frunció los labios y se envolvió en la camisa.

–He estado muy ocupada, y acabo demasiado cansada como para buscarme un amante. Gracias a tu generosa abuela, ahora puedo disfrutar de sexo seis meses contigo.

Cristiano hizo un rictus.

–¿Eso es todo lo que quieres de los hombres? ¿Sexo?

–No de todos –dijo Alice–. Solo de los que me gustan –se acercó a él y le acarició el brazo–. Tú cumples todos los requisitos. Eres rico, atractivo y conoces el cuerpo de una mujer. ¡Ah, y siempre tienes un preservativo a mano!

Cristiano le atrapó la muñeca.

–Tienes veintiocho años. ¿No quieres algo más que trabajo y sexo sin ataduras?

Alice tuvo que ahuyentar la imagen de un bebé de cabello y ojos oscuros que la acechaba.

–No. ¿Y tú?

Cristiano frunció el ceño y dejó caer la mano.

–No.

Alice recogió el sujetador y las bragas.

–Entonces, no tenemos nada de qué preocuparnos, ¿no? Los dos estamos en esto por interés –se puso los tacones–. Aunque no entiendo por qué quieres que celebremos una boda religiosa. ¿No es un poco excesivo, dadas las circunstancias?

–Ya te he dicho que debe ser creíble.

–Aun así, va a resultar extraño que nos divorciemos en seis meses –dijo Alice–. ¿No crees que eso sí va a despertar sospechas?

Cristiano la miró con gesto impenetrable.

–Puede que dentro de seis meses estés pasándolo tan bien que no quieras terminar la relación.

Alice se rio.

–Eres bueno en la cama, pero no tanto.

Cristiano le acarició el dorso de la mano con la que se cerraba la camisa.

–Hablando de camas... Espero no haber ido demasiado deprisa.

–¿Me has oído quejarme?

Cristiano esbozó una sonrisa al tiempo que deslizaba un dedo hasta su barbilla y se la alzaba para que lo mirara a los ojos.

–Nunca he deseado a ninguna otra mujer como a ti.

Alice dejó de intentar cubrirse y le rodeó la cintura con los brazos.

–Seguro que les dices lo mismo a todas las mujeres que traes a tu casa.

Cristiano hizo una mueca.

–Puede que te cueste creerlo, pero desde que te fuiste no he traído a nadie.

Efectivamente, a Alice le costaba creerlo. ¿Significaba que sí la había amado, que no podía soportar la idea de estar con otra mujer después de la pasión que habían compartido entre aquellas paredes?

–¿Por qué?

Cristiano le miró los labios, tal vez pensando en besarla o porque no podía sostenerle la mirada. Luego volvió a clavarla en sus ojos.

–Todas las habitaciones me recordaban a ti –dijo, finalmente–. Me... quitaba las ganas.

–Te has debido de gastar una fortuna en hoteles.

Cristiano sonrió.

–La ventaja de ser el dueño es que no te cobran.

–¡Qué afortunado!

Cristiano la tomó por las caderas y le hizo sentir que su miembro volvía a despertar. La sensación removió la sangre de Alice y le hizo consciente de las terminaciones nerviosas que seguían activadas en su más profundo interior. Cristiano le dio un beso lento y prolongado, que elevó su deseo varios grados.

Alice le devolvió el beso, bailando con su lengua un tango sensual que hizo que Cristiano la estrechara con más fuerza, como si no quisiera dejar ni un milímetro de distancia entre sus cuerpos. Alice deslizó las manos por su espalda, palpando sus músculos y gozando de la libertad de acariciarlo.

No podía quitarse de la cabeza que Cristiano no había llevado a ninguna otra mujer a aquella casa; que solo había compartido su cama con ella.

Él la tomó en brazos.

–A la cama.

Alice jugueteó con el cabello de la nuca de Cristiano.

–No hace falta que cargues conmigo. Te vas a hacer daño.

Él le besó los labios con ímpetu.

–Eres muy ligera. En el gimnasio levanto pesas de más kilos que tú.

Sus músculos lo demostraban. Alice podía sentirlos contraerse bajo las rodillas y la espalda, donde la sujetaba; la embriagadora prueba de lo fuerte que era.

La llevó a su dormitorio, que también había redecorado... ¿con la intención de borrar su recuerdo? ¿Lo habría conseguido? La pared de la cabecera era gris y el resto, blancas, como lo era el edredón. A los pies de la cama había una pequeña manta gris, a juego con un baúl-banco. La alfombra era de color crema, y tan mullida que Alice pensó que se hundiría hasta las rodillas cuando Cristiano la depositó sobre ella, junto a la cama.

Sin soltarse de su cuello, y pegándose a él, dijo:

–Has redecorado la habitación.

–Sí –Cristiano le mordisqueó el lóbulo de la oreja–. Pero no ha servido de nada. No he conseguido animarme a traer a nadie. ¿Te gusta?

–Es preciosa.

–Como tú –Cristiano le besó el cuello, mordisqueando y succionando su delicada piel.

El piropo hizo estremecer a Alice de felicidad. Ella no se consideraba hermosa. Cuando se miraba al espejo, solo veía las imperfecciones. Pero, cuando Cristiano la miraba con ojos brillantes de deseo, se sentía hermosa y deseable.

Cristiano le dio un beso apasionado. Ella abrió los

labios, entre los que escapó un gemido cuando él le quitó la camisa y le cubrió un seno con la mano. La experta calidez de su mano la hizo estremecer y sus pezones se endurecieron como dos guijarros. Cristiano le pasó el pulgar por uno de ellos, luego le deslizó la mano por el costado y empujó el seno hacia arriba para atraparlo con su boca. Le succionó los pezones alternativamente y se los lamió con la lengua caliente y húmeda hasta que Alice se sacudió de deseo.

Luego se arrodilló ante ella, dejando un rastro de besos desde sus senos hasta su ombligo, donde se detuvo unos segundos, hundiendo la lengua en él, antes de continuar el descenso. Alice contuvo el aliento al sentir su lengua alcanzar su parte más íntima. Cristiano separó con los dedos sus carnosos pliegues antes de acercar su boca y conseguir que cada una de sus terminaciones nerviosas vibrara de placer, provocando una espiral de sensaciones que recorrió el cuerpo de Alice en espasmos de una creciente intensidad.

Cristiano se incorporó y la echó sobre la cama, deteniéndose solo para quitarse los pantalones y ponerse un preservativo. Alice tiró de él cuando ya descendía sobre ella, abrazándose a su cuello y alzando la cabeza para acudir al encuentro de sus labios.

El beso de Cristiano fue largo y profundo, con una pulsante urgencia que Alice podía percibir en cada centímetro de su cuerpo. Su sexo endurecido probó su entrada y Alice se abrió a él, moviendo las caderas para acomodarlo. Fue como retomar una coreografía que solo ellos dos conocieran. El acoplamiento de sus cuerpos en el íntimo abrazo era perfecto, fluido y sensual; tan espontáneo y natural como respirar.

Alice le acarició la espalda a lo largo de la columna vertebral hasta concentrarse en la depresión sobre sus firmes glúteos. Conocía bien sus zonas erógenas y gozó al sentir su reacción bajo sus manos. Luego asió sus nalgas y lo sujetó contra sí, meciéndose con él a la vez que Cristiano marcaba un ritmo que se acompasaba perfectamente a sus necesidades. Nadie la llenaba como él; nadie conocía su cuerpo como él. Nadie más comprendía cuánto anhelaba aquel mágico movimiento, la deliciosa y torturadora fricción que activaba su sensible carne hasta hacerle perder cualquier atisbo de control.

Cristiano la hizo rodar hasta que quedó encima de él y posó sus dos manos sobre sus senos, mirándola como un hombre famélico ante un banquete. Alice se inclinó sobre él, colocando una mano a cada lado de su cabeza, dejando caer su cabello sobre su torso, y se meció al ritmo de Cristiano, buscando una fricción extra que le dio el leve empujón que necesitaba. El brutal clímax la recorrió, pulsante, expandiéndose en una espiral de creciente amplitud. Cada milímetro de su cuerpo vibró al fluir por él la liberadora descarga, hasta que la alcanzó una última sacudida cálida y balsámica que la dejó laxa y saciada.

Pronto la siguió Cristiano, con unos espasmos tan violentos que Alice los notó en las paredes de su íntima carne. También vio las contorsiones del placer en su rostro, y oyó sus sexys gruñidos que le ponían la carne de gallina.

Cristiano volvió a rodar sobre ella, y manteniendo parte de su peso sobre los codos, le retiró unos mechones húmedos de cabello de la frente a la vez que decía:

–Nunca dejas de sorprenderme.

–¿En qué sentido? –preguntó ella con coquetería.

Cristiano le recorrió los labios con un dedo a la vez que la miraba fijamente.

–Respondes a mí como ninguna otra.

Alice no quería pensar con cuántas otras mujeres se había acostado. Le resultaba demasiado doloroso, especialmente cuando su cuerpo seguía vibrando por la magia de sus caricias.

Posó las manos en su pecho y lo empujó suavemente a la vez que decía:

–Será mejor que te ocupes del preservativo antes de que tengamos que alargar nuestro matrimonio más de seis meses.

Cristiano la observó unos segundos con el ceño fruncido. En silencio, se levantó y se quitó el preservativo. Tomó un albornoz que colgaba en la puerta y se lo puso.

–¿Estás tomando la píldora?

–Claro.

Cristiano levantó los pantalones del suelo y los dejó en el respaldo de una butaca. Su expresión indicó a Alice que estaba de nuevo enfadado con ella: ordenar era una de sus estrategias para controlar sus emociones.

Se abrazó las rodillas y apoyó la barbilla en ellas, observándolo doblar la camisa que acababa de quitarle.

–Estás enfadado.

Cristiano dejó la camisa y frunció el ceño.

–¿Qué te hace pensar eso?

Alice se levantó y se envolvió en la manta de los pies de la cama.

–Voy a ducharme mientras tú juegas a la doncella.

Cristiano la retuvo cuando pasó a su lado.

–¿Qué quieres decir con eso?

–Te has puesto a recoger como si quisieras olvidar lo que acaba de pasar –Alice le retiró los dedos uno a uno sin dejar de mirarlo–. Claro que estoy tomando la píldora. ¿Crees que, si no, me acostaría contigo?

Cristiano le sostuvo la mirada.

–Ni siquiera la píldora es infalible.

–Exactamente. Por eso tenemos que tener cuidado.

«A pesar de que cada vez que pienso en un bebé, mis ovarios dan saltos de alegría».

Cristiano mantuvo la mirada clavada en ella.

–Así que sigues decidida a no tener hijos.

Alice se alegró de que no pudiera ver sus óvulos pelear para presentarse voluntarios.

–Mi negocio es mi niño. A él dedico mi energía y mi tiempo. No hay espacio para niños en mi vida. En cualquier caso, ¿a qué se debe este interrogatorio? No será que quieres un heredero, ¿verdad?

Cristiano apretó tanto los labios que se convirtieron en una línea blanca.

–No.

–Tienes una actitud muy distinta a la de hace siete años, cuando ansiabas formar una familia.

–Ahora tengo otros objetivos.

–¿Qué opinaba al respecto tu abuela?

La mirada de Cristiano se veló.

–Le disgustó. Ella solo tuvo a mi padre y siempre ansió tener más hijos. Sufrió varios abortos –dejó escapar un suspiro–. Adoraba a mi madre; la trataba como a una hija. Para ella la familia lo era todo.

Alice había experimentado en directo ese amor de Volante Marchetti a la familia. A pesar de que había perdido hacía poco a su marido, Enzo, le había dado una cálida y afectuosa bienvenida. En cuanto a cómo trataba a Cristiano..., Alice no había podido evitar sentir envidia del profundo amor que se profesaban.

–¿Por qué querría que me casara contigo? Estoy segura de que sabía que era lo último que queríamos cualquiera de los dos.

–No lo sé –Cristiano se pasó la mano por el rostro–. O sí. No le gustaba la vida que yo estaba llevando. Quería lo mejor para mí, y pensaba que no lo estaba consiguiendo.

Alice dejó escapar una risita.

–Dudo que yo sea lo mejor que te ha pasado en la vida.

Cristiano la miró en silencio antes de decir:

–Se ve que *nonna* pensaba lo contrario.

–Era muy amable, pero...

–Tranquila, Alice, no voy a intentar que prolongues el acuerdo más allá de lo necesario. Solo voy a cumplirlo porque no puedo permitir que las acciones pasen a manos de mi primo Rocco. No pienso consentir que todo aquello por lo que mis padres lucharon tanto se pierda en una partida de cartas.

Alice frunció el ceño.

–¿Tu abuela sabía que era un jugador?

Cristiano sacudió la cabeza con gesto apesadumbrado.

–Ahora me arrepiento, pero en su momento decidí no decírselo. No quería que se fuera a la tumba sintiéndose culpable. Cambió el testamento un par de semanas después de que le dieran el diagnóstico.

–¿Habrías intentado que cambiara de idea de haber sabido lo que planeaba?

Cristiano reflexionó unos segundos.

–No lo sé. La abuela no padecía demencia senil, estaba en pleno uso de sus facultades mentales y tenía derecho a hacer lo que quisiera. Sin embargo, lamento no haberle avisado de lo de Rocco, aunque no sé cómo habría reaccionado. Ella lo adoraba. Es el único hijo de su difunta hermana, y su ahijado. Le habría roto el corazón saber que no era el hombre perfecto que ella creía.

Alice movió los labios de un lado al otro mientras pensaba en Volante Marchetti, en su lúcida e inteligente mirada a la que no parecía escapársele ni el más mínimo detalle.

–¿Y si lo sabía?

Cristiano la miró desconcertado.

–¿Lo de Rocco?

–Sí. Quizá sabía que harías lo que fuera por salvar las acciones. Incluso casarte con tu enemigo.

Cristiano esbozó una sonrisa y le acarició un brazo.

–¿Es eso lo que somos? ¿Enemigos?

Alice alzó la mirada a su rostro.

–Yo diría que sí, aunque hagamos el amor y no la guerra.

Cristiano la atrajo hacia sí, pegando sus caderas a las de ella, haciéndole sentir su sexo, que volvía a revivir.

–¿No ibas a ducharte?

Alice se frotó sensualmente contra él.

–Sí. ¿Quieres acompañarme?

Cristiano le quitó la manta y, agachándose, le succionó un pezón hasta que Alice se retorció, jadeante, y le desabrochó los pantalones precipitadamente.

Cristiano entonces le dio un beso abrasador que hizo que la sangre le hirviera en las venas. Podía sentir su centro de placer pulsante, una embriagadora sensación, mezcla de dolor y placer. Cristiano la asió por las caderas y aplastó su pecho contra sus senos, provocándole cosquillas con el vello en la delicada piel.

Luego él le tomó la mano y la condujo hacia el cuarto de baño. Se puso un preservativo mientras esperaba a que el agua se templara y se metió bajo el chorro con Alice. El agua cayó en cascada sobre sus cuerpos, exacerbando los sentidos de Alice a medida que las manos de Cristiano le recorrían el cuerpo. Ella besó su pecho y bajó hacia su ombligo, formando círculos a su alrededor, antes de agacharse ante él y tomarlo en su boca. Nunca había dado ese tipo de placer a ningún otro hombre. Con los demás le repugnaba, pero con Cristiano era como un rito sagrado del que ella misma obtenía placer porque adoraba sentir su poderosa erección con los labios y la lengua; adoraba oír sus gemidos y notar cómo le temblaban las piernas; adoraba sentir sus manos aferrarse a su cabeza para mantener el equilibrio cuando estallaba en una violenta liberación.

Pero en esa ocasión, Cristiano la detuvo antes y la hizo incorporarse. Luego fue él quien se agachó y, separándole los muslos, usó la magia de su lengua en sus pliegues femeninos. Sabía perfectamente el ritmo y la presión que debía ejercer para provocarle una explosión que la sacudió como si la atravesara un proyectil cuya onda expansiva alcanzó cada célula de su cuerpo.

Entonces Alice le hizo levantarse y presionó su boca contra la de él, saboreando su propia esencia en sus labios y su lengua. Él le besó entonces el cuello, mordisqueándola y empujándola suavemente a la vez que buscaba la postura. Ella lo guio con la mano hacia su íntima entrada, subiendo una pierna a su cadera y exhalando el aire bruscamente al sentirlo hundirse en su interior con un crudo gemido.

El agua caía sobre ellos, añadiendo sensualidad a los movimientos de Cristiano en su interior, que fueron incrementando en velocidad hasta que Alice volvió a llegar al borde del clímax. Pero entonces, él salió de ella y con una sonrisa sexy, la hizo girarse de espaldas. Alice apoyó las manos en el mármol de la ducha y se puso de puntillas para proporcionarle el acceso que Cristiano necesitaba.

Aquella posición añadía un elemento de obscenidad que le resultó tanto atrevido como excitante. Cristiano se movió entre sus nalgas, dejándole sentir su palpitante sexo hasta que Alice jadeó de deseo. Entonces se sumergió en su húmeda profundidad, en un ángulo perfecto que la alcanzaba donde más lo deseaba, y meciéndose en una acelerada fricción que provocó en ella un orgasmo tan descomunal que Alice lo sintió como un misil estallando en su interior. Las sacudidas del placer le nublaron cualquier pensamiento racional, dejándola flotando en un mágico magma negro.

Cristiano dio tres últimos poderosos empujes, respirando entrecortadamente contra el oído de Alice. Ella esperó unos segundos a que él recuperara estabilidad, antes de girarse, abrazarse a su cuello y besarlo lentamente.

Finalmente, Cristiano alzó la cabeza y mirándola con ojos brillantes y expresión de deseo saciado, susurró.

–Como en los viejos tiempos, ¿eh?

Alice le pasó la punta de la lengua por el labio inferior.

–Mejor.

«Mucho, mucho mejor».

Capítulo 8

CRISTIANO se despertó antes del amanecer y al encontrar a Alice cobijada en su costado se sintió como si hubiera vuelto al pasado, a un tiempo en el que pensó que su vida había alcanzado la perfección. Una de las manos de Alice descansaba en su corazón; sus piernas de seda se entrelazaban con las suyas formando un nudo íntimo que le aceleró la sangre.

¿Se saciaría alguna vez de ella? La noche anterior habían hecho el amor como dos adolescentes. ¿Pretendía recuperar el tiempo perdido o era algo más?

No quería pensar en lo que ese «algo más» pudiera ser.

No estaba seguro de por qué le había dicho que no había llevado a ninguna otra mujer a su casa. Lo cierto era que no había querido contaminar su recuerdo con otros cuerpos, otras caras, otros perfumes. O quizá solo había actuado así para castigarse por haber sido tan ingenuo como para creer que Alice era «la única».

Por eso mismo lo mejor que podía hacer era aprovechar la oportunidad que se le presentaba para arrancársela del pecho y finalmente poder retornar su vida.

Era un plan excelente.

¿No sería eso lo que *nonna* había pretendido al obligarlo a retomar su relación con Alice? Su abuela sabía que su vida había cambiado al irse Alice y que no había superado su pérdida, pero la idea de dejarle la mitad de la villa para que tuvieran que volver a verse había sido demasiado drástica. Claro que él no pensaba permitir que Alice supiera cuánto significaba esa casa para él y prefería hacerle creer que le importaban más las acciones.

Volvió la mirada hacia ella, que respiraba profundamente y se acurrucó contra él con gesto de bienestar. ¿Cuántas veces la habría observado en el pasado como lo hacía entonces, soñando con una vida en común, con los hijos que tendrían, con la felicidad que alcanzarían juntos?

¿Sería suficiente volver a tenerla en su cama?

Tendría que serlo, porque eso era todo lo que pensaba ofrecerle. Hacía años que había encerrado su corazón en una celda en aislamiento; sin salidas de permiso, ni al patio, ni bajo fianza, ni en tercer grado.

Lo que había entre ellos solo era sexo, no amor. Un deseo que se iría mitigando con los días hasta desaparecer, como en todas sus otras relaciones... Excepto con ella.

Cristiano ahuyentó ese pensamiento. Él ya no pensaba en una relación «para siempre», solo en el presente.

Alice abrió los ojos y parpadeó como un bebé.

–¿Es hora de levantarse?

Cristiano ya estaba «levantado». Su cuerpo había despertado diez minutos antes, cuando ella había entrelazado sus piernas con las de él y había posado la mano en su pecho.

–No hay prisa –dijo, retirándole un mechón de la frente.

Ella sonrió con picardía y deslizó su mano hasta su sexo en erección.

–¿Seguro que no hay prisa?

Cristiano contuvo el aliento cuando ella empezó a mover la mano con su mágica destreza. Alice se humedeció los labios y descendió por su cuerpo, lamiéndolo y acariciándolo con su aliento hasta llegar a su ingle. Solo Alice era capaz de reducirlo a... ser un títere sin fuerza suficiente para detenerla. Apenas tuvo tiempo de ponerse un preservativo antes de que ella lo elevara a la estratosfera.

Se dejó caer sobre las almohadas, todavía jadeante, y atrajo a Alice contra su costado.

–Dame un par de minutos para que me recupere.

Pudo sentir la sonrisa de Alice contra su pecho. Ella tamborileó con los dedos en su abdomen y preguntó:

–¿El sexo es tan bueno con tus otras amantes?

Cristiano temía haber revelado ya demasiado, y no quería darle más munición.

–¿Sientes curiosidad, *cara*?

Alice hizo un mohín y fue a separarse de él, pero Cristiano rodó hasta colocarse encima de ella. Alice esquivó su mirada, pero él le tomó la barbilla para obligarla a mirarlo. En sus ojos azules intuyó más allá del enfado, inseguridad.

–Soy un caballero –explicó–. Sería una descortesía hablar de otras mujeres.

Alice entornó los ojos y, dejando escapar un suspiro, dijo:

–La última vez que tuve relaciones volví a casa y me duché durante una hora.

Cristiano la miró alarmado.

–¿Fuiste...? –ni siquiera pudo pronunciar la palabra.

–No, no, fue sexo consentido, pero odié cada instante. Y eso que duró solo unos minutos.

Cristiano le retiró un mechón de la frente. No podía soportar la idea de Alice haciendo el amor con otro hombre. Durante todos aquellos años había evitado pensar en ello. Sabía que era una arrogancia, pero quería creer que Alice no reaccionaba con ningún otro como con él; que nadie la acariciaba como él; que su cuerpo no se acoplaba al de ningún otro como al suyo.

–Si no hay química, el sexo nunca es bueno.

Alice le pasó un dedo por los labios.

–A nosotros nunca nos ha faltado química, ¿verdad?

Cristiano le atrapó el dedo.

–Desde luego que no.

De hecho, tenían toneladas de ella. Podía sentirla como un rumor de fondo; se hacía tangible en cómo sus cuerpos se buscaban como si no soportaran estar separados.

Alice hundió los dedos en su cabello y añadió:

–No he disfrutado nunca del sexo tanto como contigo –frunció los labios–. Debería odiarte por haber arruinado mi vida sexual.

Cristiano fingió una mueca de reproche.

–Tú tampoco me has ayudado mucho en ese frente, señorita.

Alice clavó la mirada en la de él.

–¿Quieres decir que conmigo es... mejor?

Él le besó la frente.

–Es diferente.

Alice frunció el ceño.

–¿En qué sentido?

Cristiano le alisó el entrecejo con el pulgar.

–Deberíamos ponernos en marcha. Tenemos un viaje de una hora hasta Stresa.

Alice frunció de nuevo el ceño.

–No cambies de tema, dime en qué...

–Simplemente, es distinto –Cristiano se sentó y puso los pies en el suelo. ¿Qué quería? ¿Que admitiera que la había echado de menos cada día de aquellos siete años? ¿Que con todas las demás el sexo solo era sexo, mientras que con ella era hacer el amor?

No pensaba decir nada de eso... aunque fuera verdad.

Oyó que Alice se incorporaba y luego notó su mano recorriéndole la espalda desde la nuca a la rabadilla, en una caricia que hizo vibrar cada una dc sus vértebras. Luego apoyó la cabeza en su espalda y le rodeó la cintura y su aliento le rozó el hueco entre los omóplatos como las alas de una mariposa.

–No te enfades conmigo –dijo ella.

Cristiano se giró y, abrazándola, le besó la frente.

–No estoy enfadado contigo, tesoro.

Estaba enfadado consigo mismo... por seguir deseándola, por no concebir un futuro con ninguna otra mujer, por tenerla en la cabeza como si fuera una canción pegadiza de la que no podía librarse por más que lo intentara.

Alice lo miró tan fijamente que temió que viera en sus ojos hasta qué punto la había echado de menos. Ella lo besó delicadamente y dijo:

–No quiero que nos peleemos. Una relación no debería ser una competición. Eso es... agotador.

Cristiano deslizó la mano por debajo de la cortina de su cabello y, pegando sus labios a los de ella, susurró:

–Entonces será mejor que dediquemos nuestra energía a algo mejor, ¿no te parece?

Alice sonrió con ojos chispeantes.

–Esa sí que es una buena idea.

Después de desayunar, condujeron los noventa kilómetros que había hasta Stresa, a orillas del lago Maggiore. Alice recordaba lo precioso que era el lago, pero verlo bajo aquella suave luz otoñal, con las hojas empezando a amarillear, la dejó sin aliento.

Cristiano detuvo el coche ante la villa, que había permanecido vacía desde la muerte de su abuela. De camino, le había explicado a Alice que Volante había insistido en morir en casa y que, de hecho, había fallecido en sus brazos. Y Alice pensó que, aunque no lo dijera, debía de resultarle muy doloroso volver a la villa.

Cristiano abrió la puerta y la precedió al interior. La villa era tan grande que en el pasado, a Alice le había parecido asombroso que resultara tan acogedora. Pero en aquel momento ya no lo era. Se había convertido en un lugar poblado de fantasmas. El mobiliario estaba cubierto con sábanas y en los largos pasillos, las cortinas corridas sobre los ventanales parecían párpados cerrados sobre ojos cansados. Un silencio doloroso ocupaba cada rincón.

Alice tomó la mano de Cristiano al tiempo que los ojos se le llenaban de lágrimas.

–Debe de resultarte muy difícil venir. ¿Habías vuelto desde...?

Cristiano le apretó la mano y la miró.

–No –le secó una lágrima con el dedo y añadió–: A *nonna* no le gustaría verte llorar, *cara*.

Alice parpadeó y forzó una sonrisa. La tregua que habían alcanzado estaba alterando sus emociones e impidiendo que las mantuviera bajo un estricto control.

–Lo siento. Sé que apenas la conocía, pero todo resulta muy distinto sin ella –se pasó el dorso de la mano por la mejilla–. Ojalá le hubiera escrito. Así habría sabido que no la había olvidado.

Cristiano cobijó la mano de Alice bajo su brazo.

–Ahora estás aquí, que era lo que ella quería.

Alice seguía sin comprender por qué Volante le habría dejado la mitad de la villa con las peculiares condiciones que había impuesto. No solo valía millones, sino que era el hogar de Cristiano. Si alguien se la merecía era él. Sin embargo, Cristiano parecía más preocupado por no perder las acciones que por la villa.

–¿Qué habrías hecho con ella si la hubieras heredado entera? –preguntó.

Él se encogió de hombros.

–Convertirla en un hotel.

–¿De verdad? ¿No la habrías conservado como casa de vacaciones?

–Es demasiado grande para una persona –dijo Cristiano con melancolía.

–Pero no siempre vas a estar solo –repuso Alice, torturándose con la idea de que terminaría compartiendo su vida con alguien–. Puede que algún día quieras formar una familia.

–Es un lugar perfecto para un hotel –dijo Cristiano

como si Alice no hubiera hablado–. Y el jardín es ideal para bodas y otras celebraciones.

Alice le sostuvo la mirada.

–¿No significa nada para ti? ¿No tienes recuerdos que...?

–¿Qué es una casa cuando ya no la habita la gente a quien has amado? –dijo Cristiano con un brillo de irritación en la mirada–. Solo ladrillos y cemento. Una cáscara vacía cuyas habitaciones te recuerdan a aquellos que has perdido.

Alice lo observó en silencio, conmovida, a la vez que él tiraba de dos de las sábanas y las dejaba caer al suelo como dos velas inertes.

–Lo siento mucho... –musitó Alice.

Cristiano se pasó los dedos por el cabello con un resoplido.

–No, soy yo quien lo siente. Disculpa que te haya hablado con tanta rudeza.

Alice fue hasta él y, abrazándose a su cintura, dijo:

–No pasa nada. Esto debe de ser muy difícil para ti.

La expresión de Cristiano se suavizó.

–Debería haber venido hace semanas, pero no me animaba a hacerlo. Me recordaba demasiado a cuando vine la noche en que se mataron mis padres y mi hermano.

Alice le soltó la cintura y, tomándole una mano, comentó:

–No puedo ni imaginarme lo que debiste de sentir.

Cristiano bajó la mirada hacia sus manos entrelazadas antes de mirarla a los ojos.

–Mis abuelos quisieron evitarme el trauma de volver a mi casa, pero yo insistí. Fue rarísimo. Todo estaba igual, y al mismo tiempo, era diferente... Como si hubieran puesto mi vida en «pausa». Pensaba que, si no me hubiera puesto enfermo, mis padres no habrían tenido que desviarse para venir a recogerme.

Alice le apretó la mano.

–No debes culparte. La culpa es solo del hombre que conducía borracho.

Cristiano continuó hablando con la mirada velada.

–Evité manifestar mi dolor para no causar más sufrimiento a mis abuelos. Actuaron con una gran entereza, pero no debió de resultarles fácil criar a un niño a esas alturas de su vida. Para entonces, habían delegado en mis padres las responsabilidades del negocio hotelero para poder disfrutar de más tiempo libre, pero todo eso cambió. Mi abuelo tuvo que retomar las riendas hasta que fui mayor de edad.

Soltó la mano de Alice y fue hasta uno de los ventanales desde los que se divisaba el lago.

Ella quería seguirlo, pero se dio cuenta de que necesitaba espacio. Nunca le había hablado con tanta sinceridad de su pérdida, y ella se recriminó por no haberlo animado a que lo hiciera, y ayudarle a liberarse de parte de su carga. Pero por aquel entonces era tan inmadura que no se había dado cuenta de que la pérdida de su familia estaba en la raíz de su obsesión por tenerlo todo bajo control. Había sido testaruda y crítica con él, en lugar de compasiva y generosa. Si hubiera estado menos preocupada de defender sus propias opiniones, se habría dado cuenta de lo trágica que había sido su vida y de hasta qué punto había condicionado su existencia.

Ella también arrastraba traumas del pasado, pero no podían compararse con lo que había padecido Cristiano. Lo miró y trató de imaginárselo de niño, intentando ser fuerte para sus abuelos; reprimiendo las lágrimas para protegerlos. ¿No había hecho ella eso mismo con su madre: actuar con madurez para ayudarla a superar sus sucesivas rupturas?

–Cristiano...

Él se volvió con una sonrisa impostada, pero en la que se intuía la tristeza.

–Lo más curioso es que era mi hermano quien quería seguir con el negocio familiar. Yo tenía otros planes.

Alice lo miró sorprendida. ¿Cómo era posible que hubiera pasado seis semanas con aquel hombre y no supiera que su sueño no era continuar con el negocio hotelero? Tenía éxito, era dueño de algunos de los más lujosos hoteles del Mediterráneo.

–¿No querías dedicarte al negocio familiar?

Cristiano tomó una fotografía de sus abuelos de jóvenes y la miró con afecto.

–No. Quería ser arquitecto. Nunca se lo mencioné a mis abuelos. Tuve claro que mi responsabilidad era dirigir el negocio. Pero no sientas lástima por mí, *cara*.

Dejó la fotografía y miró a Alice antes de continuar:

–Tengo la oportunidad de desarrollar mi creatividad con las renovaciones de edificios antiguos –hizo una mueca burlona–. Y mientras duran, convierto la vida del arquitecto en una pesadilla.

Alice no salía de su incredulidad; se sentía culpable por haber estado tan ciega. De pronto era consciente de todas las pistas que había tenido delante de sus ojos sin verlas. Si Cristiano no había querido hablar de su pasado era porque le resultaba demasiado doloroso, no ya por la pérdida de su familia, sino por la pérdida añadida de sus sueños de futuro. El día que sus padres y su hermano habían muerto, su vida había dejado de ser suya.

Pensó en todas las veces que le había hablado de sus planes de tener su propio salón de belleza. Le había contado cómo ese había sido su sueño desde la primera vez que acudió a uno con su madre, siendo una niña. Le habían cautivado las lociones y las cremas, la sensación de lujo. Y había tomado la decisión de llegar a tener un salón en el que las mujeres pudieran escapar de la rutina y sentirse princesas. Ella había luchado y había alcanzado su sueño a pesar de todas las dificultades que tuvo que superar.

Sin embargo, el pasado privilegiado de Cristiano, el mismo que ella tanto había envidiado, había sido precisamente la causa de que él no pudiera llevar a cabo los suyos.

Alice caminó hasta él y posó la mano en su brazo.

–Siempre he tenido celos de tu riqueza, pero en realidad ha sido una carga para ti, ¿verdad?

Cristiano le tomó la mano y se la llevó al pecho.

–Es a un tiempo una carga y una bendición, pero sería una tontería negar que el dinero proporciona seguridad. Además, mi trabajo me gusta mucho.

–Pero ¿quién tomará las riendas cuando te retires? –preguntó Alice–. ¿Tu primo?

–No, por Dios –Cristiano puso los ojos en blanco–. Rocco no tiene ni idea de negocios. Si fuera por él, todas las habitaciones de un hotel tendrían máquinas tragaperras. Mis padres y mis abuelos se revolverían en su tumba –suspiró y soltó la mano de Alice–. No, supongo que, cuando llegue el momento, venderé el negocio.

–Pero, si tuvieras un hijo o una hija, podrían ser ellos...

–Parece que ese tema te preocupa, Alice –dijo él en un tono que rozaba la aspereza–. ¿Has cambiado de idea respecto a la maternidad?

Alice se obligó a sostenerle la mirada.

–No estamos hablando de mí, sino de ti. Estoy segura de que serías un padre magnífico

–Hablemos de ti –dijo él–. ¿A quién vas a dejarle tus bienes? ¿A un refugio de perros?

Alice frunció los labios antes de dejar escapar un suspiro. Puesto que habían declarado una tregua, lo mínimo que podía hacer era ser sincera con Cristiano.

–Está bien –dijo, tras sacudir la cabeza como si quisiera retirarse el cabello de la cara–. Tengo que admitir que últimamente he pensado mucho en tener hijos.

–¿Y?

–Y he decidido que algún día, cuando encuentre al hombre adecuado, lo haré.

Cristiano mantuvo el gesto impasible.

–¿Qué te ha hecho cambiar de idea?

Alice tomó otra fotografía; una en la que Cristiano estaba con sus padres y su hermano. La había visto en el pasado sin fijarse realmente en ella. Cristiano posaba como un niño feliz y sonriente. No se parecía en nada al hombre serio y encerrado en sí mismo del presente. Dejó la fotografía y volvió la mirada hacia él.

–No ha sido un cambio súbito de opinión, sino algo gradual –dijo finalmente.

«Un poco como mis sentimientos hacia ti».

Tras una breve pausa, continuó:

–Empecé a darme cuenta de lo que me estaba perdiendo al ver a mis amigas y a mis clientas con sus bebés. El amor entre una madre y sus hijos es algo excepcional –sonrió con melancolía–. Mi madre me pone de los nervios, pero en el fondo sé que me quiere más que nadie en el mundo. No quiero perderme ese vínculo; quiero sentir ese tipo de amor.

Cristiano esbozó una sonrisa.

–Siento que mi abuela se haya entrometido en tus planes. Ahora tendrás que posponerlos seis meses.

Alice desvió la mirada.

–Bueno, solo tengo veintiocho años. Todavía estoy a tiempo.

Se produjo un incómodo silencio.

Alice se preguntó si también él estaría pensando en lo absurda que era la situación en la que se encontraban. Siete años antes, Cristiano había anhelado desesperadamente formar una familia mientras que ella quería ser libre. En el presente, él quería libertad y ella no podía evitar mirar cada cochecito que pasaba a su lado.

¿Y si no conocía a ningún hombre al que amara lo suficiente como para tener hijos con él? ¿Quién podía ser ese hombre sino Cristiano? Sus sentimientos por él habían permanecido soterrados en su corazón, incluso teñidos de amargura porque él no había luchado más por ella. Pero cuanto más pensaba en su futuro, menos lo concebía con un hombre que no fuera él. Prefería quedarse sola que estar con otro.

Tal vez por eso había sentido pánico y se había querido distanciar de él. Había intuido que era el único hombre por el que habría renunciado a sus sueños. Le había dado pánico que no la amara lo bastante como para darle la libertad de perseguir sus propios objetivos, y terminar siendo anulada por su fuerte personalidad.

Pero en el presente... tenía un negocio floreciente, sabía quién era y lo que quería de la vida. Y eso incluía cosas a las que Cristiano ya no aspiraba: el matrimonio, una familia, amar y ser amada.

Pero él, si es que lo había hecho alguna vez, ya no la amaba. El único motivo de que estuviera con ella era que no quería arriesgarse a perder parte del negocio familiar. No debía olvidarlo. Solo se casaba con ella para conseguir lo que quería. Que la deseara no significaba nada. Era un hombre de sangre caliente, con un saludable apetito sexual.

Lo que había entre ellos era temporal, no permanente.

Capítulo 9

CRISTIANO recorrió la villa con Alice sumido en sus propios pensamientos.

Intentaba asimilar que, después de las numerosas discusiones que habían tenido en el pasado, Alice hubiera cambiado de idea y quisiera tener hijos. La acusaba de ser una egoísta por importarle más su carrera profesional que su vida personal, pero en aquel momento era él quien estaba centrado en su carrera y quien estaba tan ocupado que no tenía tiempo para formar una familia... Porque la idea de perderla le resultaba aterradora.

–¿Podemos salir al jardín? –preguntó Alice, sacándolo de su ensimismamiento.

–Claro –la tomó de la mano y salieron a la terraza–. Era el lugar favorito de mi abuela. Solía pasarse horas observando a los pájaros.

–¡Qué preciosidad! –dijo Alice en tono reverencial–. Cada rincón esconde una sorpresa.

Cristiano permaneció en la terraza mientras ella recorría el jardín. Al pararse para oler unas rosas, se retiró unos cabellos que la brisa sopló sobre sus ojos y, al hacerlo, descubrió a Cristiano observándola con una expresión de ternura que la conmovió.

–Es el escenario perfecto para una boda –dijo

ella–. El paseo de glicinias es ideal como recorrido de la novia hacia el altar.

–¿Quieres que nos casemos aquí?

Alice frunció el ceño.

–¿No querías casarte en una iglesia?

Cristiano se encogió de hombros.

–Mientras sea legal, da lo mismo dónde la celebremos.

Alice se mordisqueó el labio inferior y observó la fuente con un ángel que la abuela de Cristiano había instalado tras su primer aborto, el año anterior a que naciera el padre de él. El jardín estaba lleno de detalles de la historia familiar: cada planta, cada objeto decorativo representaba una tragedia o una victoria de los Marchetti.

Se volvió hacia Cristiano.

–La verdad es que preferiría casarme aquí que en una iglesia. Haría que fuera menos... –intentó buscar la palabra adecuada.

–¿Permanente? –preguntó Cristiano.

Alice hizo una mueca.

–¿No te sientes incómodo con la situación? Casarse es una cosa muy seria.

¿Estaba arrepintiéndose? Cristiano sintió que se le retorcían las entrañas. Si no se casaban perdería las acciones, y eso no podía suceder.

–Míralo de esta manera: casándonos cumplimos los deseos de una anciana. Lo hacemos por *nonna*. Y estoy seguro de que le encantaría que lo hiciéramos aquí. Me pondré a organizarla lo antes posible –alargó la mano para tomar la de Alice y atraerla hacia sí–. Y ahora, disfrutemos de nuestro día en Stresa.

A pesar de la inquietud que Alice sentía respecto al

rumbo que estaba tomando su relación con Cristiano, pasaron un día maravilloso. Cristiano organizó un tour privado por las islas y un delicioso almuerzo en un restaurante situado cerca del lago. Volvieron a Milán al atardecer y, tras ducharse y cambiarse, fueron a uno de los mejores restaurantes de la ciudad, donde el maître les dio una calurosa bienvenida y los recibió con una botella de champán.

Alice se sentó frente a Cristiano y mientras bebía champán, se preguntó si también él estaría pensando en aquel otro restaurante, a poca distancia de allí, en el que se había declarado años atrás. En perspectiva, era consciente de que podía haber manejado la situación mejor; pero la sorpresa de una proposición de matrimonio después de salir tan solo unas semanas, le había producido un ataque de pánico.

Aun así, al menos podría haberlo rechazado sin humillarlo públicamente. ¿Qué habría sentido Cristiano al quedarse solo, delante de todo el mundo, con el anillo de compromiso tirado sobre la mesa como si fuera una baratija? Entretanto ella, como tenía el pasaporte en el bolso, tomó un taxi al aeropuerto y abandonó Milán en el primer vuelo.

–¿Más champán? –preguntó Cristiano.

Alice posó la mano sobre la copa.

–Mejor no. Ya he tomado demasiado.

–No vas a conducir, así que puedes beber más.

Tras una breve pausa, Alice preguntó:

–¿Llegaste a conocer a quien...?

–No –Cristiano negó con tanta firmeza que sonó como un golpe seco.

–¿Intentaron ponerse en contacto contigo o tus abuelos?

Cristiano hizo una mueca de amargura.

–No. Era el tipo de persona que culpa al mundo de sus errores. Ni siquiera fue a la cárcel. El juez que llevaba el juicio tenía relación con su influyente padre. Pero el destino hizo justicia: murió algún tiempo después, en una pelea en un bar –tamborileó sobre el mantel–. Pensé que saber que le daban su merecido me aliviaría, pero no fue así.

Alice le tomó la mano.

–Eso es porque no eres vengativo.

Cristiano esbozó una sonrisa.

–¿Tú crees que no? –tocó el anillo de compromiso de Alice–. No te gustaría saber lo que pensé cuando me plantaste hace siete años.

Alice mantuvo la mirada en sus manos entrelazadas en lugar de mirarlo a los ojos.

–Siento haber reaccionado así. Fui tan... inmadura y arrogante.

Cristiano le apretó la mano antes de soltársela y reclinarse en el respaldo de la silla.

–No debería haberte presionado. La reciente muerte de mi abuelo me había dejado demasiado ansioso –frunció el ceño a la vez que giraba el vaso de agua sobre la mesa–. Los entierros pueden tener ese efecto: te hacen darte cuenta de lo frágil que es todo.

Alice se lo imaginó asistiendo a los entierros de su familia; el peso del dolor con el que había cargado con tanto valor de niño, y más tarde, despidiéndose por turno de sus abuelos. Ella solo había acudido a un entierro, el de una clienta que había fallecido tras una breve enfermedad. Había sido triste, pero no dramático. Su familia había honrado su larga vida y luego habían ofrecido una recepción hasta el amanecer. ¿Qué sabía ella de qué se sentía al despedirse de un padre, un abuelo o un hermano?

–Aun así, debía haber sido más delicada –Alice suspiró–. Supongo que por eso no te pusiste en contacto conmigo.

Algo pasó por los ojos de Cristiano. ¿Sorpresa? ¿Inquietud? ¿Arrepentimiento? Alice no supo reconocer la emoción.

–¿Habrías querido que lo hiciera?

Alice no estaba segura de si tenía sentido decirle hasta qué punto lo había deseado. El pasado era pasado.

–No. Para mí, lo nuestro había terminado.

Cristiano la miró fijamente.

–¿Cuánto tardaste en salir con alguien?

Alice se encogió de hombros.

–No sé... unos seis meses –le lanzó una mirada de reproche–. Dcsdc lucgo, mucho más que tú.

Se produjo un breve silencio.

–Me aseguré de que me fotografiaran con otras mujeres a los pocos días de nuestra ruptura –dijo Cristiano–. Pero tardé ocho meses en poder acostarme con una.

Alice parpadeó de sorpresa. ¿Había esperado tanto?

–¿De verdad?

Cristiano sonrió con tristeza.

–No me sentía capaz de meterme en una relación tan intensa como la nuestra.

–Fue muy intensa, ¿verdad?

Cristiano volvió a dedicarle una de sus sensuales sonrisas y le tomó la mano.

–Sigue siéndolo.

En cuanto entraron en la villa de Milán, Cristiano abrazó a Alice. El viaje hasta allí había sido un continuo juego preliminar. Sus miradas, el roce de sus dedos contra su muslo al cambiar de marchas, el rugir del motor, que hacía pensar a Alice en sus propias hormonas.

Su beso fue apasionado y voraz, su lengua se enredó en la de ella en un provocativo duelo. Alice tiró de su camisa y deslizó las manos por su pecho y su abdomen. Él terminó de quitársela antes de bajarle la cremallera del vestido, y presionándole la espalda, estrecharla contra sí y hacerle sentir su excitado sexo. Luego agachó la cabeza para besarle el cuello y el escote, dibujando un rastro de saliva con sus labios y su lengua. Tomó sus senos por debajo y los impulsó hacia arriba, al encuentro de sus labios.

Alice exhaló el aliento con fuerza al sentir su boca en torno a su endurecido pezón y su lengua dibujando círculos alrededor de la sensitiva areola hasta que le temblaron las piernas.

Entonces ella le bajó los pantalones y los calzoncillos y tomándolo, deslizó la mano arriba y abajo, como sabía que a él le gustaba. Él dejó escapar un gemido de aprobación que le puso la carne de gallina.

Separando los labios del seno de Alice, Cristiano susurró con voz ronca:

–*Ti desidero.*

–Yo también te deseo.

Cristiano la tomó en brazos y subió hasta el dormitorio. La dejó en la cama, terminó de desnudarse y de desnudarla a ella. Pero en cierto momento frenó el tempo de su voraz deseo y sometió el cuerpo de Alice a una lenta y deliciosa exploración que hizo que cada una de sus células vibrara de excitación. Con sus labios, su lengua y su aliento recorrió su piel, aumentando su deseo hasta hacerlo febril, hasta que Alice estuvo a punto de suplicarle que parara.

–¿Cuánto me deseas? –preguntó él, contra su ombligo.

–Tanto que... Por favor... por favor –dijo ella retorciéndose, anhelando ese último empujón que la arrastrara al final.

Cristiano se puso un preservativo y la penetró de un solo movimiento que produjo una instantánea explosión en su interior. Arqueó la espalda para mantener el contacto donde más lo necesitaba; la explosión de sensaciones la atravesó como fuegos artificiales. Apenas se había recuperado del primer orgasmo cuando tuvo otro, aún más profundo, que la asaltó en una sucesión de oleadas que no parecía tener fin.

Las contracciones de su cuerpo dispararon el de Cristiano, cuyo cuerpo se tensó antes de que la penetrara aún más profundamente y, con un estremecimiento, se vaciara en ella.

Alice golpeó la almohada con la cabeza y lanzó un profundo suspiro, a la vez que decía:

–¡Ha sido... espectacular!

Él se incorporó sobre el codo y pasó un dedo entre sus senos.

–Pocas mujeres pueden tener un orgasmo así.

Alice sonrió y acariciándole el brazo, dijo:

–¿Quieres decir que soy especial?

Cristiano la miró fijamente.

–Eres la amante más receptiva que he tenido en mi vida.

Alice subió con los dedos por el brazo de Cristiano.

–Eso es decir mucho, teniendo en cuenta cuántas has tenido.

Cristiano frunció el ceño y se ocupó del preservativo.

–No deberías creer todo lo que lees en la prensa. Si me hubiera acostado con la mitad de las que han dicho, no habría tenido tiempo para mis negocios.

Alice se sentó y, tomando la manta que había a los pies de la cama, se levantó y se envolvió en ella. Estaba irritada consigo misma por haberse mostrado una vez más celosa. Cristiano tenía todo el derecho a tener tantas amantes como quisiera.

Nada le había impedido a ella hacer lo mismo... excepto ella misma. Saber que no había llevado a ninguna mujer a la villa y que había tardado ocho meses en acostarse con otra debía ser suficiente consuelo, pero desafortunadamente, no lo era. Porque en lugar de ir a buscarla, Cristiano se había mantenido alejado de ella todos aquellos años.

–Voy a desmaquillarme –dijo.

Cristiano se plantó delante de ella y mirándola con ternura, dijo:

–Habíamos quedado en no discutir.

Alice puso los ojos en blanco.

–Lo siento.

Cristiano le alzó la barbilla y le pasó el pulgar por el labio inferior.

–Espero que cuando esto acabe, sigamos siendo amigos. Es lo que habría querido mi abuela.

–¿No crees que quería que... lo intentáramos?

Cristiano dejó caer la mano.

–Si fuera así, sería una lástima, porque eso no va a suceder.

Alice trató de ignorar cómo se le encogió el corazón al oír a Cristiano negar cualquier posibilidad de que se convirtieran en una pareja de verdad; que ni siquiera se planteara un futuro con ella... Que sus papeles se hubieran invertido era un cruel giro del destino.

–¿Quién ha dicho que yo lo quiera? Me limito a decir que probablemente ella sí pensó que era posible. Al menos, supongo que confiaba en que resolviéramos nuestras diferencias.

Cristiano se pasó los dedos por el cabello.

–Eso ya lo hemos hecho.

–¿Sí?

Cristiano le tomó el rostro entre las manos y la miró fijamente.

–Ya no me odias, ¿no?

Alice le dedicó una sonrisa temblorosa.

–¿Y tú a mí?

Cristiano dejó sus labios a un milímetro de los de ella y susurró:

–¿Llamarías odio a esto? –y la besó.

No. Lo llamaría el paraíso.

Alice llegó a trabajar el lunes al salón de belleza y se encontró con un caos controlado.

Meghan la recibió con una sonrisa de oreja a oreja.

–No te imaginas la de clientas que quieren verte. Tienes reservas para varios meses, o años. El compromiso con Cristiano Marchetti te ha hecho aún más famosa. Adivina qué actriz quiere que la maquilles para su boda en noviembre.

–¿Cuál?

Meghan mencionó a la joven estrella de moda en Hollywood.

–Y eso no es todo –continuó, animada–. Te pagará

el vuelo y los gastos hasta el lugar de la celebración, que va a mantenerse en secreto para evitar a la prensa. Vas a tener que firmar un acuerdo de confidencialidad. Seguro que es en Bora Bora o algún sitio exótico. ¿Me llevarás de ayudante?

El entusiasmo de su empleada hizo reír a Alice.

–Primero tiene que contratar nuestros servicios. Ya sabes cómo son las celebridades, a veces cancelan sus bodas de un día para otro.

Meghan la miró desilusionada.

–Puede ser. Pero, si haces este trabajo, te convertirás en la maquilladora de las estrellas.

«Antes tengo que celebrar mi propia boda».

Unos días más tarde, la primera clienta de Alice era una futura novia con cita para una prueba de maquillaje.

Jennifer Preston era el epítome de la mujer enamorada. Llevaba años acudiendo al salón de belleza de Alice y habían establecido cierto grado de amistad. Jennifer, que siempre se quejaba de la falta de buenos candidatos a marido, había finalmente conocido al hombre perfecto.

Marcus, su prometido, la llevó al salón de belleza y la forma en que miró a Jennifer al despedirse con un beso, hizo que Alice se sintiera una impostora. Por mucho que Cristiano la mirara con afecto y ternura, no estaba enamorado de ella.

Durante la sesión, Jennifer le habló del traje de novia y del romántico viaje de novios que Marcus había organizado.

–Es increíble, Alice, hace unos meses me había resignado a permanecer soltera y ahora voy a casarme con un hombre al que adoro y que me adora –comentó–. Bueno, tú sabes bien de lo que hablo. ¿Ya has elegido el vestido?

–Todavía no –dijo Alice–. Apenas tengo tiempo.

–¡Y hay tanto que hacer...! –Jennifer se inclinó hacia el espejo–. ¡Qué gran trabajo has hecho! Hasta parezco guapa.

Alice posó las manos en sus hombros y dijo:

–Eres guapa. Y estás resplandeciente.

Jennifer puso su mano sobre la de Alice con mirada de complicidad.

–Solo lo sabe Marcus, pero estoy embarazada de seis semanas. ¿Serás la madrina de mi hijo?

Alice parpadeó, sorprendida.

–¿Yo?

Jennifer hizo girar el asiento para mirarla de frente y no a través del espejo.

–Sí, tú –tomó las manos de Alice–. Las dos llevamos siete años quejándonos de los hombres y ahora vamos a casarnos casi a la vez. Y quién sabe, puede que tú también te quedes embarazada pronto.

Alice forzó una sonrisa.

–Será un verdadero honor para mí ser la madrina de tu bebé.

Jennifer sonrió.

–¡Cuánto me alegro! Asumo que Cristiano te acompañará a mi boda. Os he puesto en la mejor mesa.

–Muchas gracias –dijo Alice–. Tendré que asegurarme de que está libre el fin de semana.

–Seguro que hace cualquier cosa que le pidas –declaró Jennifer con ojos chispeantes–. Recuerda que es un hombre enamorado.

Capítulo 10

ALICE salió entre una clienta y otra para ver vestidos de novia, pero no encontró nada que le interesara. Entre otras cosas porque tenía dolor de cabeza y no le apetecía probarse vestidos para un matrimonio ficticio... cuando habría querido que fuera real.

¡Qué distinto habría sido probarse vestidos y velos imaginándose que recorría el pasillo hacia el altar en el que Cristiano la estaría esperando! Incluso embarazada de él...

En lugar de eso, se veía forzada a actuar como una futura novia sabiendo que su relación con Cristiano solo le causaría dolor. Porque, si él hubiera cambiado de opinión y hubiera querido convertirla en duradera, ya lo habría dicho.

Desde que habían vuelto de Italia habían pasado cada noche juntos. La relación había dejado de ser un permanente combate, pero no por ello era menos excitante. Bastaba una mirada de Cristiano para que se estremeciera.

Como aquella misma mañana. Él le había dedicado una de sus miradas y ella había dejado el desayuno a un lado para hacer el amor con él en el banco de la cocina. Sus caricias ejercían sobre ella incluso más magia que en el pasado. O quizá era eso lo que sentía porque sabía que en unos meses se separarían para siempre. Y saberlo le partía el corazón. ¿Cómo podía haber tardado tanto en darse cuenta de que estaba enamorada de él?

¿Lo habría rechazado precisamente por eso, porque no era capaz de admitir lo que sentía por él? Había necesitado tiempo para cuestionarse opiniones que solo habían sido fruto de sus propios temores. Siete años atrás, pensaba que amar a alguien era renunciar a una parte de sí. Pero el verdadero amor no tenía por qué ser eso. El verdadero amor era constructivo, no destructivo; era sanador, no doloroso.

–¿Puedo ayudarla? –preguntó la dependienta de la última boutique en la que entró–. ¡Oh, usted es Alice Piper, la maquilladora de las celebridades! Maquilló a mi mejor amiga el año pasado. Enhorabuena, por cierto. ¡Qué honor que haya venido a mi tienda! ¿Tiene alguna idea de lo que quiere?

–De momento, solo estoy mirando –dijo Alice, esquiva.

La mujer frunció el ceño.

–¿Pero la boda no es en un par de semanas?

«Preferiría que no me lo recordara».

–El uno de octubre –dijo Alice, sintiendo que se le aceleraba el corazón y que la frente se le perlaba de sudor.

Cristiano le había confirmado la fecha hacía unos días. El personal de la villa estaba ya organizando los preparativos para una discreta boda. Todo avanzaba aceleradamente, pero ella se sentía como una mera espectadora.

–Todavía tenemos tiempo para hacer algo a medida –dijo la mujer con una sonrisa de ánimo–. ¿Quiere mirar algunos diseños? –tomó una revista y fue pasando las hojas–: ¿Lo quiere blanco, crema; con encaje; de organdí?

Alice tragó saliva. No había contado con tener que tomar tantas decisiones en tan poco tiempo. No era de extrañar que las novias enloquecieran.

De pronto le pareció que hacía mucho calor y que le faltaba el aire. El dolor de su cabeza aumentó hasta que temió que le fuera a estallar, se le nubló la vista y sintió que se tambaleaba, a la vez que las náuseas le subían desde el estómago hasta la garganta.

–¿Se encuentra bien? –la dependienta la tomó del brazo–. Siéntese y ponga la cabeza entre las piernas.

Alice se sentó en una butaca de terciopelo y oyó el murmullo de la mujer hablando por teléfono, seguido de la visión de un vaso de agua ante sus ojos. Incorporándose bebió unos sorbos, pero la sala seguía dando vueltas.

La mujer retiró el vaso.

–He llamado a una ambulancia. Llegará enseguida.

Alice la miró con ojos desorbitados.

–¡No necesito una ambulancia!

Simultáneamente, oyó el sonido de la sirena llegando a la puerta.

–Me temo que ya está aquí –dijo la mujer–. Si me deja su teléfono, avisaré a su prometido.

Alice se aferró a su bolso como si contuviera un tesoro.

–No hace falta. Ya lo llamaré yo. No quiero que se preocupe por nada.

La mujer fue al encuentro de los paramédicos.

–Está ahí. Casi se desmaya. Estaba perfectamente

y de repente se ha puesto completamente blanca. Yo diría que está embarazada.

«Tierra, trágame».

Cristiano terminó su reunión con los arquitectos que iban a renovar el edificio de Chelsea y decidió ir a ver si Alice había terminado. Podía haberla llamado, pero, aparte de que ella solía silenciar su teléfono, le encantaba verla trabajar. Sentía un placer especial en saber que, bajo aquella fachada de profesionalidad y templanza, había una mujer apasionada y guerrera, que se derretía entre sus brazos.

Pero, cuando entró en el salón de belleza, encontró a Meghan fuera de sí.

–¿Por qué no estás en el hospital? –preguntó ella.

Cristiano la miró con ojos desorbitados.

–¿En el hospital?

–Alice se ha desmayado en una tienda. He llamado al hospital, pero no he conseguido hablar con ella.

Cristiano pensó que el corazón se le iba a salir por la boca; el pánico le recorrió las venas.

«No, no, no puede ser. Otra vez, no».

¿Y si no llegaba a tiempo? La gente no siempre salía del hospital, o lo hacía envuelta en una bolsa, como su familia.

–¿En qué hospital está?

Meghan le dio el nombre y al verlo ir hacia la puerta precipitadamente, exclamó:

–¿No lo sabías?

–He tenido apagado el teléfono –lo sacó del bolsillo tan torpemente que estuvo a punto de caérsele. Pero no había ni llamadas ni mensajes de Alice. ¿Por qué?

¿Se encontraba demasiado mal? ¿Estaba en coma, inconsciente?

El corazón estaba a punto de estallarle; el miedo le atenazaba la garganta.

–Dile que lo tengo todo bajo control... o casi –le gritó Meghan cuando ya salía.

Cristiano paró un taxi y se pasó el recorrido pensando que debía haber conducido él mismo. Para cuando llegó al hospital estaba tan angustiado que apenas podía hablar. Tuvo que respirar varias veces al cruzar la puerta.

El olor a antiséptico lo golpeó como una bofetada, trasportándolo de inmediato al pasado. Tras la muerte de sus padres y su hermano, había acudido con sus abuelos al hospital. Todavía recordaba los largos pasillo y el rechinar de sus deportivas en el suelo mientras avanzaba hacia donde su familia yacía sin vida. Recordaba las miradas compasivas de los médicos y las enfermeras; recordaba el horror de ver los cuerpos de sus tres seres queridos envueltos en una especie de sudario, de no poder asimilar que no volvería a verlos, que la vida ya no volvería a ser la misma.

Se había sentido en un mundo paralelo en el que era otro quien se enfrentaba a aquella realidad, alguien que podía soportarla y que llevaría el resto de su vida la herida de aquella pérdida.

Cristiano fue a Urgencias y preguntó por Alice a una enfermera que lo condujo hasta un cubículo en el que la encontró dormitando y con un gota a gota. Verla respirar le produjo un inmenso alivio. Intentó pronunciar su nombre, pero no pudo emitir sonido alguno. Entonces tomó la mano libre de Alice y ella entornó los ojos y esbozó una quebradiza sonrisa.

–Hola.

Cristiano se sentó por temor a que le fallaran las piernas.

–¿Qué ha pasado, *cara*? Me has dado un buen susto. ¿Estás bien?

–Perfectamente. Solo estaba deshidratada y casi me desmayo. Pero la dueña de la tienda se ha empeñado en...

–Me alegro –dijo Cristiano–. ¿Por qué no estás bebiendo lo que debes? ¿Por qué...?

–He estado muy ocupada, eso es todo –Alice volvió a sonreír débilmente–. Desde que volvimos de Italia he tenido mucho que hacer. No he tenido tiempo para comer y apenas había desayunado.

Cristiano se sintió culpable. Él tenía la culpa de que ni siquiera se hubiera terminado el desayuno porque la había distraído con un apasionado beso que los había llevado a hacer el amor en la cocina. Lo cierto era que no podía resistirse a ella. Le besó la mano.

–¿Cuándo puedo llevarte a casa?

Alice alzó la mano conectada al gotero.

–En cuanto se acabe el suero.

Cristiano le acarició los dedos.

–Casi me provoca un ataque al corazón, señorita.

Alice hizo un mohín.

–Lo siento.

–¿En qué tienda estabas?

Alice desvió la mirada.

–En una boutique de bodas.

Cristiano hizo una mueca.

–Se ve que te gustan tan poco como a mí los hospitales. Yo también he estado a punto de desmayarme.

Alice lo miró con lástima.

–Lo siento muchísimo. No quería que te llamaran. Sabía que no me pasaba nada.

–Pues debías haberlo hecho, o pedirle a alguien que me llamara.

–¿Por qué?

Cristiano la miró atónito.

–Alice, por Dios, estamos prometidos. Debería ser la primera persona en cuidar de ti.

Alice lo miró con expresión impenetrable.

–No somos una pareja muy normal.

Cristiano le apretó la mano.

–Este no es el momento ni el lugar para tener esta conversación. Tú no te encuentras bien y yo no puedo pensar racionalmente.

Se produjo un largo silencio.

–¿No vas a preguntármelo? –preguntó entonces Alice.

–¿El qué?

Alice lo miró fijamente.

–Si estoy embarazada.

A Cristiano se le paró el corazón una fracción de segundo.

–¿Lo estás?

–No.

Seguro que era un alivio para él. Un bebé era lo último que quería, porque lo cambiaría todo. Él solo quería cumplir su objetivo y olvidarse de ella.

–Bien –dijo él, apretándole la mano–. Supongo que te has alegrado.

Alice volvió a dedicarle una frágil sonrisa.

–Claro –se removió en la cama como si estuviera incómoda–. Una clienta y amiga me ha pedido que sea la madrina de su hijo y me ha invitado a su boda. También te ha invitado a ti.

–¿Quieres que te acompañe?

Alice se clavó los dientes en el labio inferior.

–Sería una buena oportunidad para aprender cómo se hace.

–Supongo que habrás acudido a alguna otra boda, ¿no? ¿O tu aversión llega a ese extremo?

–Llevé las flores en la segunda boda de mi madre –dijo Alice–. Me tropecé de camino al altar y mi padrastro me riñó delante de los invitados. Lo pasé tan mal que me hice pis.

Cristiano frunció el ceño.

–¿Cuántos años tenías?

–Seis. Me lo recordó durante años, y mi madre nunca me defendió –Alice suspiró–. Cuando la dejó por otra mujer, me alegré. Pero durante algún tiempo mi madre me acusó de haber gafado su matrimonio.

–¿Todavía te culpa?

–No –Alice volvió a suspirar–. Pero por principio, me negué a ir a su tercera boda.

–¿Por si te tropezabas? –bromeó Cristiano.

–No, porque su tercer marido tenía la mano muy larga y era un ladrón.

Cristiano empezaba a entender su rechazo al matrimonio.

–¿Y tu padre? ¿Volvió a casarse?

–Sí, y extrañamente, sigue casado –dijo Alice–. Tania y él lo han tenido difícil. Tienen un hijo con autismo severo. Por eso le doy dinero de vez en cuando, para pagar la terapia de Sam.

–Eres muy generosa.

Alice esbozó lo más parecido a una sonrisa.

–Mi padre no es tan malo como mi madre lo describe. Se casó demasiado joven. Ahora ha madurado y ha asumido la responsabilidad de tener una familia. Sé que no era un ángel, pero en realidad no estaba enamorado de mi madre. Al menos, no como lo está de Tania –Alice tiró de la costura de la sábana antes de continuar–: Supongo que eso es lo que hace que un matrimonio funcione: que el amor sea lo bastante fuerte como para superar los problemas de la vida.

En ese momento llegó la enfermera y Cristiano se hizo a un lado para que quitara la vía de la mano de Alice. Mientras tanto, él reflexionó sobre lo poco que sabía del pasado de Alice, y se recriminó por no haberle preguntado más sobre su infancia, y no haberle hablado más de la suya.

Los dos se habían dejado dominar por el deseo sexual, por la necesidad de compartir sus cuerpos. Solo se habían comunicado a un nivel físico. Acababa de enterarse de más cosas en aquel cubículo de hospital que en todo el tiempo que habían salido juntos. ¿Habrían cambiado las circunstancias de haberla escuchado antes?

–Puede irse –dijo la enfermera, entregándole el documento con el alta–. Cuídese, Alice. No se olvide de tomar líquidos y de descansar.

–Yo me ocuparé de que lo haga –aseguró Cristiano.

Alice salió del hospital del brazo de Cristiano. Tanto el dolor de cabeza como las náuseas habían remitido. Cristiano se había mostrado tan afectado al verla en el hospital que estaba tentada de creer que le importaba más de lo que quería dar a entender.

Pero no quería engañarse: había mucho en juego.

Si ella se echaba atrás y no cumplía con su parte, Cristiano perdería parte de su casa y de su negocio. Y, por otro lado, cabía la posibilidad de que su angustia solo se debiera al espantoso recuerdo que los hospitales invocaban en él.

Cristiano paró un taxi y en un rato, Alice estaba en la cama y Cristiano se sentaba a su lado después de darle un vaso de agua con limón.

–¿Cómo te encuentras? –preguntó, tomándole una mano.

–Cansada y un poco avergonzada por el lío que he organizado.

Cristiano le acarició el dorso de la mano.

–La verdad es que me has hecho pasar media hora espantosa –dijo, recorriéndole cada tendón como si intentara memorizarlos. Luego la miró con gesto angustiado–. He creído que iba a perderte otra vez.

Alice le apretó la mano, emocionada por la intensidad de la preocupación que percibió en su mirada.

–Ojalá no te hubiera dejado como lo hice. Al final me hice más daño del que te hice a ti –musitó.

–Los dos nos hicimos daño, *cara* –contestó Cristiano–. No puedo comprender por qué no te llamé al día siguiente. Debería haberlo hecho, pero me pudo el orgullo. El orgullo y la rabia. Y cada día de estos últimos años me he preguntado qué habría pasado si hubiera actuado de otra manera.

Hizo una pausa antes de continuar:

–Pensaba que perder a mi familia era lo peor que me podía pasar en la vida; pero perderte a ti apagó en mí toda esperanza. Decidí que prefería estar solo a volver a ser rechazado. Desde entonces, todas mis relaciones han sido superficiales y breves. Hasta ahora.

«Hasta ahora».

¿Qué quería decir, que quería que su relación durara más allá de los seis meses estipulados por su abuela? Alice le acarició la mejilla.

–Los dos hemos sido muy testarudos. Sobre todo yo. Me negaba a amar por miedo a ceder el control a otro; pero creo que me enamoré de ti en el instante que me hiciste reír cuando mi fular se enredó en tu ropa. Me he pasado todo este tiempo intentando negarlo, bloqueando ese pensamiento de mi mente.

Él le besó la mano.

–Gracias a la abuela, tenemos una segunda oportunidad para hacer que la relación funcione. Pero hablemos de ello cuando te encuentres mejor –Cristiano le besó la frente–. Dormiré en otra habitación para que puedas descansar.

Alice le asió la mano.

–No te vayas.

–Alice...

–Abrázame.

Dando un suspiro, Cristiano la apretó contra su pecho y apoyó la barbilla en su cabeza.

–Estaré aquí mientras me necesites.

«¿Para siempre?».

Capítulo 11

ALICE se despertó y vio a Cristiano echado sobre las sábanas, con las piernas cruzadas a la altura de los tobillos. Estaba despeinado y con gesto de cansancio.

Ella se giró y caminó con los dedos por el puente de su nariz. Cristiano la arrugó, abrió los ojos y se incorporó sobresaltado.

–¿Qué? –dijo, aturdido–. Perdona, *cara.* ¿Estás bien? ¿Querías algo?

–No, solo te observaba mientras dormías.

Cristiano se pasó la mano por la cara.

–Me siento como si no hubiera dormido en un mes –miró la hora–. ¡Las cinco de la mañana! –exclamó, cerrando los ojos.

Alice le acarició la mejilla.

–¿Te das cuenta de que es la primera noche que dormimos en la misma cama sin hacer el amor?

–¿Por qué crees que no me he metido en la cama? –preguntó él, abriendo un ojo.

Alice se acurrucó contra su costado.

–Ya estoy mucho mejor –dijo, insinuante. Y deslizó la mano hasta encontrar su sexo, duro como una barra de hierro–. Y veo que tú estás en buena forma.

Cristiano sonrió con picardía y, girándose, se colocó sobre ella a la vez que posaba una mano sobre uno de sus senos.

–Si fuera un buen hombre, insistiría en que tomaras algo antes de aprovecharme de ti.

Alice le pasó un dedo por el labio inferior.

–Solo tengo sed y hambre de ti.

Cristiano le dio un lento y prolongado beso. Pero, cuando Alicc asumió que se pondría un preservativo, él la desconcertó, retrocediendo y levantándose de la cama.

–Perdona, *cara,* pero debo de ser mejor persona de lo que pensaba –dijo, inclinándose para besarle la frente–. Espérame aquí. Voy a traerte el desayuno.

Alice lo esperó reclinada en las almohadas. Quizá hablarían de su futuro durante el desayuno. No podía creer que Cristiano hubiera olvidado lo que había dicho la noche anterior.

«Tenemos una segunda oportunidad para hacer que la relación funcione».

Estaba siendo tan amable, tan considerado... Actuaba como un hombre enamorado. Pero si la amaba... ¿por qué no lo decía?

La noche anterior ella le había dicho que lo amaba... que se había enamorado de él en su primer encuentro. ¿Por qué él no había dicho que había sentido lo mismo? ¿O lo callaba porque ya no lo sentía? ¿Habría actuado con tanta ternura solo como reacción a verla en el hospital?

Alice no pudo contener un ataque de pánico. ¿Y si había malinterpretado la conversación que habían tenido? ¿Y si Cristiano solo había hablado así porque no quería alterarla? ¿Eran imaginaciones suyas o estaba distante? ¿Cuándo le había bastado solo un beso?

¿Rechazaba la idea de una relación duradera? ¿Estaba cuestionándose cómo actuar después de que ella le hubiera confesado su amor?

En dos semanas estarían casados, pero solo temporalmente. No tendrían un futuro por delante, ni planes de formar una familia. Su matrimonio solo sería un documento.

¿Cómo iba a conformarse ella con eso cuando quería mucho más?

El día anterior, cuando el médico le preguntó si cabía la posibilidad de que estuviera embarazada, una luz había prendido en su interior. Pero al instante se había dado cuenta de que debía apagarla porque Cristiano no quería una familia; no quería lo que ella quería.

La ironía de encontrarse en el lugar en que Cristiano había estado siete años atrás, le hizo ser aún más consciente de lo devastado que Cristiano debía de haberse sentido cuando lo dejó plantado en el restaurante. Y, cuando el test de embarazo resultó negativo, se sintió a un tiempo desilusionada y aliviada, porque no quería que Cristiano se quedara a su lado por obligación. Ella quería que la amara por sí misma.

Se acordó de Jennifer y Marcus, que se casarían apenas una semana antes que Cristiano y ella. Sin embargo, su futuro no podía ser más distinto. Cristiano quería sus acciones y su villa. No debía engañarse: de no ser por su abuela, no habría vuelto a ponerse en contacto con ella. Había tenido siete años para intentarlo, pero no lo había hecho.

Cristiano volvió con una bandeja con cereales, tostada, zumo y té... para uno.

–Aquí tienes –puso la bandeja en los muslos de Alice–. Desayuno en la cama.

Alice tomó la taza de humeante té.

–¿No vas a acompañarme?

–Debo contestar algunos correos, pero luego tengo algo de tiempo libre. ¿Quieres que te ayude a elegir el vestido?

–¿No sabes que da mala suerte que el novio vea el vestido antes de la boda? –algo en la expresión de Cristiano hizo que a Alice se le encogiera el corazón–. No esperabas que fuera tan tradicional, ¿verdad?

Se quedó mirándolo fijamente, ansiando que dijera algo, que expresara sus sentimientos. ¿No sentía ningún tipo de remordimiento? El matrimonio era sagrado. Nadie debía casarse si no era asumiendo un verdadero compromiso. De otra manera, era solo una farsa. ¿No pensaba Cristiano lo mismo? La respuesta era evidente: no. Él solo quería lograr sus objetivos, solucionar un problema.

Alice dejó la taza y levantó la bandeja de los muslos.

–¿Qué pasa? –preguntó él, tomándola de sus manos con el ceño fruncido–. ¿Por qué quieres levantarte?

Alice se levantó de la cama y, echándose el cabello hacia atrás, dijo:

–No sé si puedo con esto.

–Solo es un desayuno –dijo él–. Nadie dice que te tomes el día libre, aunque no me parece una mala idea. Meghan dice que nunca descansas.

Alice lo miró.

–Habíamos quedado en hablar, así que hablemos.

–¿De qué?

Alice se rodeó la cintura con los brazos a modo de escudo protector. ¿Qué significaba aquel gesto de perplejidad? ¿No recordaba nada de la noche anterior?

–De nosotros. De que te amo y quiero formar una familia contigo.

La expresión de Cristiano se congeló en un gesto marmóreo.

–No creo que sea el momento de hablar de...

–¿Y cuándo va a serlo? Quedan dos semanas para la boda. Anoche dijiste que tu abuela nos había otorgado una segunda oportunidad. ¿Qué querías decir con eso?

Cristiano fue al otro lado de la habitación y se puso a ordenar sobre la cómoda objetos que estaban en perfecto orden. Alice veía su rostro en el espejo. Tenía un gesto abstraído, perdido en sí mismo.

–¿Podríamos hablar en otro momento? Ahora tengo muchas cosas en la cabeza.

Alice no estaba dispuesta a posponer aquella conversación.

–Si no hablamos ahora, me temo que no puedo casarme contigo. No sería justo para ninguno de los dos.

Cristiano se volvió bruscamente con un destello de ira en los ojos.

–Recuerda que hay varios millones en juego.

Alice dejó escapar un resoplido de frustración.

–El dinero no lo es todo, Cristiano. ¿Crees que, si fuera tan importante para mí, te habría rechazado hace siete años?

–No estamos hablando del pasado, Alice, sino del presente –a pesar de su aparente calma, una vena que palpitaba en su sien delataba lo alterado que estaba–. Te he dicho que no tengo el menor interés en adquirir el compromiso de formar una familia.

–Yo quiero algo más que un matrimonio temporal

–dijo Alice–. Cuando el médico me dijo que no estaba embarazada me di cuenta de hasta qué punto deseaba estarlo. Pero tú ya no quieres lo que yo quiero.

Los ojos de Cristiano se ensombrecieron; apretaba los labios con tensión.

–Teníamos un acuerdo. Eras tú quien pensaba que el matrimonio era una cárcel para una mujer. ¿Ahora quieres una casita con jardín y unos gemelos?

Alice le sostuvo la mirada con determinación. Cristiano había dejado pasar la oportunidad de decirle que la amaba.

–Sí, quiero ese cuento de hadas y un matrimonio de verdad –declaró.

Cristiano se frotó la nuca como si le quemara.

–¡No pienso pronunciar las palabras que crees que quieres oír! ¿Por qué estás haciendo...?

–Aunque las dijeras, no te creería. Lo único que te importa es conservar las acciones y la villa de tu abuela. Yo no te importo. En nuestra relación siempre te has importado más tú mismo que nosotros como pareja, y, si fueras sincero, lo reconocerías.

–Alice, escúchame –aunque Cristiano dulcificó el tono, ella pudo percibir la rabia latente–. No te encuentras bien del todo y no piensas con claridad. Tienes mucho que perder si te echas atrás. Vuelve a la cama y yo te...

–¿Y tú qué? –Alice lo miró con ojos refulgentes–. ¿Me vas a seducir para que esté de acuerdo contigo? Eso es lo que has hecho siempre. Nunca me escuchabas cuando teníamos opiniones contrarias. Siempre resolvías nuestras diferencias con sexo. Pero el sexo no va a solucionar esto. Quiero mucho más de ti que buen sexo.

Cristiano inspiró profundamente y exhaló de golpe.

–¿Así que o estoy dispuesto a formar una familia contigo o nada?

Alice lo miró con desdén.

–Tú lo has dicho –se quitó el anillo de compromiso y se lo tendió sobre la palma de la mano–. Preferiría que no volviéramos a vernos.

Cristiano hizo una mueca despectiva y contestó:

–Quédatelo. Puedes empeñarlo o tirarlo a la basura. Me da lo mismo.

Alice cerró la mano y no le sorprendió sentir que el diamante se le clavaba como las palabras de Cristiano en el corazón.

–Nunca vas a ser feliz porque en el fondo crees que no te lo mereces. Te niegas a amar por si te dejan, o por si el destino te arrebata a quien amas.

Cristiano tomó la chaqueta del respaldo de una silla.

–Guárdate el psicoanálisis para quien le haga falta. No me conoces tan bien como crees.

–Tienes razón –dijo Alice–. Por eso nuestra relación es imposible. No dejas que nadie se acerque a ti. Y yo necesito sinceridad emocional.

«Quiero que me ames».

–¿De verdad quieres que crea que estás enamorada de mí cuando hasta hace unos días querías arrancarme los ojos? –preguntó entonces él con la mirada teñida de amargura–. Lo que quieres es manipularme; intentar asegurarte el futuro lazándome un ultimátum. Pues no puedo darte lo que pides.

–Yo nunca te he odiado.

Cristiano resopló con desdén.

–¿Sabes qué? Me da lo mismo.

Alice se encogió al oír el portazo que dio Cristiano al salir. Oyó el rumor de sus pasos alejándose de su casa, y contuvo el aliento, confiando en volver a oírlos en dirección contraria; rogando por que Cristiano apareciera y, abrazándola, le dijera que lo sentía, que por supuesto que la amaba y que quería pasar el resto de su vida con ella.

Pero solo oyó silencio.

Cristiano no se había sentido nunca tan confuso. Sentía rabia, desilusión, amargura. Una mezcla de sentimientos que amenazaban con hacerle estallar el pecho. Tuvo que detenerse para apoyar las manos en las rodillas y recuperar el aliento. ¿Cómo podía Alice hacerle aquello? Faltaban solo dos semanas para asegurarse las acciones y la villa. ¿Por qué? ¿por qué?

Él pensaba que les iba bien; que todo trascurría tal y como debía. Pero igual que siete años atrás, Alice actuaba de manera inesperada, justo cuando él había bajado la guardia. Le había alterado tanto saber que estaba en el hospital que no había visto lo que tenía delante de sus narices: que Alice había ido reptando hasta su pecho para hacerle sentir seguro y entonces activar una bomba. Quería manipularlo para que hiciera lo que ella quería.

Pero él no sería su marioneta. Le había dejado claros los términos del acuerdo. Era ella quien había cambiado las reglas.

«Como hiciste tú entonces, pidiéndole matrimonio».

Cristiano ahuyentó ese pensamiento como si fuera una mosca molesta. ¿Y? La experiencia le había servido para saber que no quería asumir la responsabilidad de una relación duradera. No podía soportar el tipo de «sinceridad emocional» que Alice le exigía.

Si abría su corazón, estaría destruyendo todo el trabajo que había llevado a cabo desde que a los once años supo que sus padres y su hermano lo habían dejado solo en el mundo. No podía permitirse ser tan vulnerable. Le bastaba con ver cómo había reaccionado la noche anterior para reafirmarse. Ir a por Alice al hospital le había provocado un ataque de pánico. Había pasado la noche prácticamente en vela porque no había conseguido librarse de la angustia. Además, no había llegado a creer la declaración de amor que Alice le había hecho. Si era verdad que lo había amado en el pasado, ¿por qué se había marchado sin volver la vista atrás?

«Tú hiciste lo mismo».

Cristiano no quería pensar en lo mal que había actuado. Era mejor así. No podía darle a Alice lo que ella le pedía; ya no era esa persona, quizá nunca lo había sido. Estaba demasiado dañado por la pérdida de su familia. Mantenía a la gente a distancia porque amar era un riesgo que no estaba dispuesto a correr.

Para cuando Alice llegó al trabajo, volvía a dolerle la cabeza, pero mucho más le dolía el corazón. Cristiano había resumido a la perfección sus sentimientos hacia ella: le daba lo mismo.

–¿Dónde está tu anillo de compromiso? –preguntó Meghan en cierto momento–. Mi clienta quiere verlo. Ha leído sobre Cristiano y tú en... –frunció el ceño–. ¿Pasa algo?

Alice parpadeó para contener las lágrimas.

–Hemos roto.

Meghan dejó escapar una exclamación ahogada.

–¡Pero si sois la pareja más enamorada que he conocido! El aire prácticamente se carga de electricidad cuando estáis en la misma habitación.

Alice apretó los labios para evitar que le temblaran.

–Cristiano no me ama. Está... ¡es demasiado complicado de explicar!

–¿Cómo que no te ama? –preguntó Meghan incrédula–. Deberías haberlo visto ayer cuando se enteró de que estabas en el hospital. Pensé que iba a desmayarse. Estaba más blanco que la pared.

Alice habría querido que fuera verdad que la amaba; pero, si fuera así, no rechazaría el compromiso. Porque el amor era eso: compromiso, confianza, un futuro sin fecha de caducidad.

–No quiere lo que yo quiero. No quiere hijos.

Meghan la miró sombría.

–Ah, eso es suficiente motivo como para romper una relación –pero su rostro volvió a animarse antes de seguir–: Aunque puede que cambie de idea. Les pasa a muchos hombres.

–No es el caso de Cristiano –dijo Alice–. Es muy testarudo.

Meghan alzó las cejas.

–Eso me recuerda a alguien...

–¿No tienes trabajo que hacer? –preguntó Alice, frunciendo el ceño.

Meghan puso gesto compungido.

–Siento mucho que hayáis roto. Ojalá Cristiano reflexione. Puede que necesite un poco más de tiempo.

–¿Otros siete años?

–¿Es tan cabezota? –preguntó Meghan, mordiéndose el labio inferior.

Alice sonrió con tristeza.

–Podría montar una academia para mulas.

Capítulo 12

CRISTIANO mantuvo su cita con el arquitecto porque no estaba dispuesto a que asuntos personales lo distrajeran de los profesionales. Él mantenía su vida personal y profesional separadas. Casi siempre. Aunque acudir al edificio en cuya primera planta estaba el salón de belleza de Alice fuera como arrancarse una muela sin anestesia. Habría dado cualquier cosa por estar en otra parte.

No sabía cómo, pero la prensa se había enterado de la ruptura. Él se había negado a hacer declaraciones, y claramente Alice también, ya que en los artículos se citaba a «fuentes próximas a la pareja». Pero después de una semana de persecución por parte de los paparazzi, la situación parecía haber vuelto a la calma.

Siete días sin Alice. Sin verla, sin hacer el amor con ella.

Un gigantesco vacío se abría ante él. Igual que en el pasado, solo que mucho peor. Y aunque intentaba convencerse de que actuaba como debía, que era mejor dejar que Alice viviera la vida que él no podía darle, la idea de que rehiciera su vida sin él se le hacía insoportable.

Se pasó toda la reunión con el arquitecto mirando por la ventana con la esperanza de verla salir o entrar del edificio. De hecho, le sorprendió que el arquitecto no hiciera ningún comentario al verlo tan distraído. Se había fijado en que llevaba alianza de casado, y que el salvapantallas de su teléfono era una fotografía de su mujer con sus dos hijos. Todo aquello que él se había convencido que no deseaba.

Pero súbitamente, fue consciente de que eso era una gran mentira. Y la revelación hizo que una luz se encendiera en su interior y alumbrara rincones oscuros de su corazón en los que había encerrado durante años sus sueños y sus anhelos.

Dio por terminada la reunión y, cuando ya iba a girar a la derecha, en dirección contraria al salón de belleza de Alice, se paró en seco. ¿Qué estaba haciendo? ¿Pensaba huir por segunda vez? ¿Iba a dar la espalda a lo mejor que le había pasado en la vida? ¿A quién pretendía engañar?

No solo deseaba a Alice. La amaba. Siempre la había amado. Por eso sentía terror; por eso había actuado tan precipitadamente siete años atrás. Había tenido tanto miedo de perderla que había querido hacerle una oferta que él creía irrechazable.

Pero se había equivocado. Radicalmente.

Y, como si no fuera capaz de aprender, había vuelto a equivocarse. Había querido creer que perder las acciones y la villa de la *nonna* era lo peor que podía pasarle. Pero perder a Alice era mucho peor.

Tenía que hablar con ella, no podía dejar pasar ni un minuto más sin decirle que la amaba y que quería lo mismo que ella. ¿Cómo había podido dejar pasar una semana entera? Siete días de infierno.

Dio media vuelta. Apenas había dado unos pasos cuando vio a Meghan acercarse.

–Hola, Cristiano –lo saludó ella–. Siento lo de vuestra ruptura, pero no te preocupes, lo he arreglado todo. Tengo al hombre ideal para ella. Le he preparado una cita a ciegas. Es un amigo de un amigo que está deseando tener hijos. ¿No te parece encantador?

Cristiano reaccionó como si le hubiera dado un puñetazo en el pecho.

–¿Una cita a ciegas?

–Sí –dijo Meghan con ojos chispeantes–. Así irá acompañada a la boda de una de nuestras clientas, Jennifer. Alice la va a maquillar.

Cristiano habló con dificultad a través del nudo que se le había formado en la garganta.

–¡No puede hacer eso!

–¿El qué? –preguntó Meghan con fingida ingenuidad–. ¿El maquillaje de Jennifer? ¡No digas tonterías, es su especialidad!

La especialidad de Alice era volverlo loco. ¿Cómo podía quedar con otro hombre tan pronto? ¿Y si el tipo era un psicópata? Los celos brotaron en él como un reflujo de bilis que amenazara con asfixiarlo.

–¿Dónde está?

Meghan señaló el salón de belleza.

–En el despacho, haciendo cuentas. Pero no quiere que...

–Cancela la cita con el amigo de tu amigo –dijo Cristiano–. Si Alice queda con alguien, será conmigo.

Alice no conseguía concentrarse en la tabla de números que tenía en la pantalla. Normalmente, se habría sentido feliz con los buenos resultados del trimestre, pero nunca se había sentido tan desgraciada.

Había pasado una semana y seguía sin noticias de Cristiano. Ni un mensaje, nada. La prensa la había acosado unos días, pero ella se había negado a hablar.

Su madre se había disgustado tanto que le había retirado la palabra, como si fuera culpa suya que la boda no se celebrara. Bueno, y lo era, pero solo hasta cierto punto. Pero ¿cómo podía seguir adelante cuando lo que le ofrecían era solo un matrimonio ficticio?

Meghan había sido un gran apoyo, haciéndole innumerables tazas de té y comprándole donuts, que eran su único consuelo cuando estaba deprimida. Y el único placer que le quedaba en la vida.

Oyó el timbre de la puerta principal seguido de pasos firmes cruzando el salón. Alice apenas se había puesto en pie cuando la puerta se abrió de par en par y apareció Cristiano.

–¿Qué demonios crees que estás haciendo?

Alice consiguió mantener el gesto impasible, aunque el corazón le latía como un colibrí.

–Cuentas. Ha sido una de las mejores semanas desde que abrí el negocio.

Él la miraba con gesto airado y ojos refulgentes.

–Meghan me ha dicho que has quedado con un hombre.

Alice frunció el ceño.

–¿Qué?

Cristiano apretó los labios.

–No lo hagas, Alice –exhaló bruscamente–. Por favor.

Alice empezó a atar cabos y lo que intuyó le resultó esperanzador.

–¿Cuándo has hablado con Meghan?

–Ahora mismo –Cristiano indicó el exterior con la

cabeza–. Dice que te ha concertado una cita a ciegas con un hombre que quiere tener hijos.

–No sé nada de eso, pero tú no tienes ningún derecho a entrar aquí y decirme lo que puedo o no hacer con mi vida privada.

–Si estás tan ansiosa por tener hijos, más te vale tenerlos conmigo.

Alice abrió la boca, pero la cerró de nuevo. ¿Había oído bien? ¿Cristiano quería tener hijos? Entonces se dio cuenta de que ese sentimiento brotaba de los celos y no del amor. Entornó los ojos y dijo:

–A ver si lo entiendo. ¿Te estás ofreciendo a donarme tu esperma y a ser un marido de cartón piedra porque estás... celoso?

Cristiano rodeó el escritorio y la tomó por los brazos.

–Claro que lo estoy, Alice. Te amo. He sido tan testarudo que no he querido admitirlo. Pero sé que puedo superar cualquier cosa menos perderte a ti de nuevo. Créeme, *cara*. No permitas que nada nos separe. ¿Te casarás conmigo? No por la *nonna*, ni porque esté celoso, sino porque te amo y quiero pasar el resto de mi vida contigo.

Alice lo miró con los ojos húmedos de llanto.

–¿Lo dices en serio o solo porque nos aproximamos a la fecha del vencimiento?

Cristiano la asió con fuerza, como si temiera que fuera a escurrírsele entre los dedos.

–La fecha me da igual. Ahora sé que quiero lo que quería la abuela. Ella sabía que no había superado tu pérdida. Sabía que era demasiado testarudo como para buscarte, por eso se ocupó de que no me quedara otra opción.

Alice sonrió.

–Como Meghan.

–¿Qué quieres decir? –preguntó él, desconcertado.

Alice se abrazó a su cuello.

–No tengo ninguna cita a ciegas con nadie. ¿Cómo iba a tenerla si solo tengo ojos para ti?

El alivio relajó las facciones de Cristiano. Sonrió.

–La *nonna* y ella deben de tener algo de brujas –abrazó a Alice con fuerza–. Las dos han sabido ver lo que yo me negaba a aceptar: que te amo, tesoro mío. Te amo desesperadamente. Por favor, dime que te casarás conmigo.

Alice vio reflejado en su rostro el amor que la profesaba; la forma en que sus ojos la observaban como si fuera lo más valioso del mundo para él... y sintió tal felicidad que apenas pudo decir:

–Claro que me casaré contigo, mi amor. No hay nada en este mundo que desee más que ser tu esposa y la madre de tus hijos.

Cristiano le dio un beso en el que puso toda la intensidad de lo que sentía por ella. Luego alzó la cabeza y sonrió con los ojos sospechosamente húmedos.

–He dedicado mi vida a evitar querer demasiado por temor a perder a mis seres queridos. Pero me he dado cuenta de que, si no voy a vivir una vida plena, más me valdría haberme enterrado con el resto de mi familia. Les debo a ellos disfrutar del tiempo que les fue arrebatado.

Alice le secó la húmeda mejilla.

–Ojalá los hubiera conocido. Estoy segura de que eran maravillosos. Y estoy segura de que se alegrarían de saber que por fin abrazas la vida.

Cristiano le retiró el cabello de la cara.

–He estado pensando en el futuro. Tú podrías mantener el salón de belleza como un servicio del hotel. Aquí en Londres, pero también en Italia, en Francia y en Grecia. Podrías tener tus propias franquicias. Así podríamos trabajar juntos.

Alice le tomó el rostro entre las manos y lo besó.

–Estás convirtiendo mis sueños en realidad. Sería maravilloso trabajar juntos, igual que lo hicieron tus padres y tus abuelos.

Cristiano la besó apasionadamente antes de dedicarle una mirada tan rebosante de adoración que a Alice se le llenaron de nuevo los ojos de lágrimas.

–Solo tenemos una semana para organizar la boda –dijo él–. ¿Crees que nos dará tiempo?

Ella le acarició la mejilla.

–Juntos podemos lograr cualquier cosa.

Un año más tarde...

Alice sonrió a Cristiano, que volvía de descargar el equipaje del coche. Iban a pasar su primer aniversario de boda en la villa de su abuela, a la que solían acudir cada pocos meses para relajarse. Sí, «relajarse», la palabra que Alice había borrado en el pasado de su diccionario.

Su salón de belleza en el hotel de Chelsea había abierto hacía unas semanas con Meghan como encargada, lo que le permitiría a ella tomarse alguna semana ocasional de vacaciones con la tranquilidad de saber que sus clientas serían debidamente atendidas.

Además, en unos pocos meses, tendría que tomarse algo más que unas semanas.

Alice tomó a Cristiano de la mano y lo condujo junto a la mesa del salón en la que descansaban las fotografías de su familia y en la que habían incluido una de ellos dos el día de su boda. Todavía no le había dado la noticia, pero pronto tendrían que hacer sitio para una nueva generación de la familia Marchetti.

–Tengo que decirte una cosa, cariño –dijo, apretando la mano de Cristiano–. Quería esperar a llegar aquí para que lo oyera el resto de la familia.

A Cristiano se le humedecieron los ojos.

–¿Estás... embarazada?

–Me he hecho una prueba esta mañana. Estaba deseando decírtelo, pero he pensado que sería maravilloso que te enteraras aquí, rodeado de todos aquellos que tanto te amaron.

Cristiano la abrazó y la besó con una conmovedora ternura.

–¿De cuánto tiempo estás? –preguntó–. ¿Te encuentras bien? ¿Sientes náuseas? ¿Necesitas descansar...?

Alice le puso un dedo en los labios para hacerle callar.

–Meghan me va a cubrir durante la baja de maternidad. Y me siento fenomenal... bueno, aparte de algunas náuseas. Según mis cálculos, estoy embarazada de seis semanas. Creo que fue el fin de semana de la inauguración –dijo con ojos brillantes–. Si no recuerdo mal, esos días lo pasamos especialmente bien.

Cristiano le tomó el rostro entre las manos y con ojos rebosantes de amor dijo:

–Hasta conocerte no sabía lo que significaba la palabra «felicidad», *cara.*

Alice sonrió y aproximó sus labios a los de él a la vez que decía:

–Nos hacemos felices mutuamente, que es lo que la *nonna* supo ver desde el principio. No quiero ni imaginarme lo desgraciada que sería ahora mismo si no llega a ser por sus maquinaciones.

Cristiano sonrió de oreja a oreja.

–Mi abuela era muy sabia. Ella supo que solo había una mujer en el mundo para mí.

Rozó con sus labios los de Alice una, dos, tres veces, antes de añadir:

–Tú.

Bianca

Seducción en el desierto...

Desde su hostil primer encuentro hasta su último beso embriagador, la bailarina de cabaret Sylvie Devereux y el jeque Arkim Al-Sahid habían tenido sus diferencias. Y su relación empeoró cuando Sylvie interrumpió públicamente el matrimonio de conveniencia de él con la adorada hermana de ella.

Arkim quería vengarse de la seductora pecadora que le había costado la reputación respetable que tanto necesitaba.

La atrajo a su lujoso palacio del desierto con la idea de sacarla de sus pensamientos de una vez por todas, pero resultó que, sin las lentejuelas y el descaro, Sylvie era sorprendentemente vulnerable... Y guardaba un secreto más para el que Arkim no estaba preparado: su inocencia.

EL JEQUE Y LA BAILARINA

ABBY GREEN

¡YA EN TU PUNTO DE VENTA!

Acepte 2 de nuestras mejores novelas de amor GRATIS

¡Y reciba un regalo sorpresa!

Oferta especial de tiempo limitado

Rellene el cupón y envíelo a
Harlequin Reader Service®
3010 Walden Ave.
P.O. Box 1867
Buffalo, N.Y. 14240-1867

¡Si! Por favor, envíenme 2 novelas de amor de Harlequin (1 Bianca® y 1 Deseo®) gratis, más el regalo sorpresa. Luego remítanme 4 novelas nuevas todos los meses, las cuales recibiré mucho antes de que aparezcan en librerías, y factúrenme al bajo precio de $3,24 cada una, más $0,25 por envío e impuesto de ventas, si corresponde*. Este es el precio total, y es un ahorro de casi el 20% sobre el precio de portada. !Una oferta excelente! Entiendo que el hecho de aceptar estos libros y el regalo no me obliga en forma alguna a la compra de libros adicionales. Y también que puedo devolver cualquier envío y cancelar en cualquier momento. Aún si decido no comprar ningún otro libro de Harlequin, los 2 libros gratis y el regalo sorpresa son míos para siempre.

416 LBN DU7N

Nombre y apellido (Por favor, letra de molde)

Dirección Apartamento No.

Ciudad Estado Zona postal

Esta oferta se limita a un pedido por hogar y no está disponible para los subscriptores actuales de Deseo® y Bianca®.
*Los términos y precios quedan sujetos a cambios sin aviso previo.
Impuestos de ventas aplican en N.Y.

SPN-03 ©2003 Harlequin Enterprises Limited

Secretos de cama

Yvonne Lindsay

La princesa Mila estaba prometida con el príncipe Thierry, y aunque apenas se conocían pues solo se habían visto una vez años atrás, se había resignado a casarse con él para asegurar la continuidad de la paz en su reino. Un día tuvieron un encuentro fortuito y él no la reconoció, y Mila decidió aprovechar para hacerse pasar por otra persona para conocerlo mejor y seducirlo antes del día de la boda.
La química que había entre ellos era innegable, pero Thierry valoraba el honor por encima de todo, y Mila le había engañado.

El engaño de Mila podía destruir sus sueños y el futuro de su país...

¡YA EN TU PUNTO DE VENTA!

Bianca

«Tengo una hija... y es tuya».

Después de haber estado a punto de perder la vida, Alexis Sharpe había decidido contarle a Leandro Conti que tenían una hija en común. Habían pasado siete años, pero estaba dispuesta a enfrentarse a él solo por su hija.
Leandro solo tenía un secreto: su apasionado encuentro con Alexis. Tras la muerte de su esposa, no había mirado a ninguna otra mujer, salvo a Alexis, que había sido para él una irresistible tentación.
Se arrepentía de cómo la había tratado, pero después de saber que tenía una hija con ella iba a reclamar lo que era suyo.

SOLO POR SU HIJA

TARA PAMMI

¡YA EN TU PUNTO DE VENTA!